la boîte à mots

Saisie et mise en page: Marc Collin
Conception de la couverture (recto): Nicole Brisson
Illustration et maquette de la couverture: Renée Gravel
Photos: Stéphane Bigras

On peut se procurer ce livre
à La Boîte à mots ou en librairie

Diffusion Prologue Inc.
2975, Sartelon
Ville Saint-Laurent (Québec)
H4R 1E6
Tél.: (514) 332-5860
Ext.: 1-800-363-2864
Fax: 336-6060

ISBN 2-9801434-0-5

La Boîte à mots
3466, rue Saint-Denis, bureau 204
Montréal (Québec)
H2X 3L3
Tél.: (514) 289-9157

la boîte à mots

Service de rencontres par le texte ou la façon oubliée de communiquer

100 des 1 000 premiers textes

LA BOÎTE À MOTS

juste un petit mot ...

Juste un petit mot... pour vous dire que ce livre, écrit par cent personnes intéressantes, est absolument fascinant. En comparaison, la première partie de cette préface est plutôt ennuyeuse, surtout pour ceux et celles que les considérations théoriques n'intéressent pas. Je les invite donc à passer à la page suivante où je me fais plus concrète à partir de: «Maintenant, un petit mot sur le contenu de ce livre...», car je remets en question cette pratique de la préface qui rebute souvent le lecteur ou la lectrice. Et pourtant, peu complaisante, (ou trop?), je n'arrive pas à passer outre à cette tradition...

La Boîte à mots existe depuis quatre ans. Des centaines de textes, écrits par des centaines de gens, y ont été déposés dans le but d'amorcer une relation amoureuse. Pour la première fois, cent de ces textes sont publiés. Cela soulève à mon avis plusieurs questions intéressantes dont celle de la division entre vie privée et vie publique, et celle de l'élitisme.

Fille des années 70, l'énoncé «la vie privée, c'est politique» me rejoint toujours.[1] Mais pour que le privé soit connu, reconnu et respecté par le politique — une interprétation de cet énoncé, mais pas la seule — il faut d'abord qu'il soit rendu public, qu'il soit communiqué.

La division entre le privé et le public, c'est cette barrière, plus ou moins solide, et plus ou moins changeante selon les époques et les sociétés, mais fort probablement inexistante au départ, qui nous fait envisager la vie non pas comme un continuum, mais comme un classeur ou une commode aux nombreux tiroirs, supposément hermétiques les uns par rapport aux autres. Un tiroir pour les relations de travail, un autre pour la famille, un troisième pour la vie sociale, un quatrième pour la vie sexuelle, un autre encore pour la vie affective.

---

[1] Implicitement contenue dans les analyses des rapports de production domestique et, plus clairement encore, dans celles des rapports de reproduction de l'être humain, la problématique de la division artificielle entre vie privée et vie publique m'apparaît non négligeable et toujours actuelle.

Si cette conception de l'individu-commode ou de l'individu-classeur, aux tiroirs indépendants les uns des autres, est pratique pour la poursuite de certains intérêts, je ne crois pas qu'elle contribue à la communication des connaissances de l'humain, ni à son plaisir, à son épanouissement et à son bonheur. Elle ne contribue pas non plus, bien au contraire, à la protection de ce qu'elle est censée protéger, c'est-à-dire la vie dite privée.

Quant à l'élitisme, ma position s'appuie sur les mêmes bases théoriques que la précédente mais, comme la précédente également d'ailleurs, elle procède d'abord d'un sentiment, d'une émotion: j'ai toujours éprouvé plus de plaisir à observer un enfant qui s'initie au ski alpin, avec ce que cela comporte de chutes et de recommencements, ou une madame débutante, au chasse-neige prudent et appliqué, qu'à regarder les descendeur(e)s de calibre olympique.

Avec le récent scandale du dopage dans le sport d'élite, je me sens au moins un peu plus à la mode sur ce deuxième point...

Il en va de même en ce qui concerne les pratiques culturelles, dont l'écriture, qui m'intéresse plus particulièrement. Dans un texte, la compétence du ou de la scripteur(e) m'impressionne moins que les émotions, les idées et les sentiments exprimés, ainsi que l'accessibilité de ce texte.

Voilà, je n'ai fait qu'effleurer le sujet. Mais je tenais à le faire, ne serait-ce que pour faire plaisir à mon égo... (mais je ne dépasserai pas mes sept pages, nombre de pages accordé à nos client(e)s...) et peut- être aussi, pour perpétuer, par défi, — un défi dont j'ai amoindri le risque par une introduction prudente... — la tradition des préfaces, parfois riches, mais presque toujours plates.

Maintenant, un petit mot sur le contenu de ce livre:

— Les textes dits littéraires et les feedbacks de nos ancien(ne)s client(e)s sont publiés intégralement. On nous remet un texte par inscription (une inscription dure quatre mois). Si une personne se réinscrit, elle peut faire un nouveau texte ou redéposer le même. Par contre, elle a le loisir de changer ou de modifier son texte une fois au cours d'une inscription. Peu de gens se prévalent de ce droit, et dans ces rares cas, nous avons choisi tantôt le premier, tantôt le deuxième, mais le texte retenu est publié en entier.

— Les textes sont regroupés en deux sections, une féminine et une masculine, et sont présentés par ordre alphabétique des noms de plume. Souvent, une introduction *en italique* précède les textes dits littéraires. Écrire cette introduction est facultatif. Nous la reproduisons donc, s'il y a lieu, à moins que l'information contenue dans cette petite présentation ne se retrouve dans le texte dit littéraire.

— Suivant notre politique de non ingérence, nous ne demandons pas aux gens ce qu'ils vivent à La Boîte à mots. Mais plusieurs nous en parlent spontanément et certain(e)s nous font parfois le plaisir de nous envoyer une petite lettre. On peut lire l'ensemble de ces feedbacks à La Boîte à mots et nous en publions quelques-uns à la page 253.

— Les textes de ce livre portent les numéros d'inscription A-0001 à A-1000 et ont été déposés entre février 1985 et le début de janvier 1988. **L'inscription de ces personnes est donc échue depuis longtemps et ces textes ne sont pas publiés à des fins de correspondance entre vous, lecteurs et lectrices de ce livre, et ces ancien(ne)s client(e)s de La Boîte à mots. Inutile de leur écrire, nous vous retournerons vos lettres.** Si vous voulez prendre connaissance de la banque de textes actifs, vous trouverez l'information pertinente à la page 269.

— Étant donné la date de leur dépôt, certains textes font allusion à des événements sociaux ou politiques qui ne sont plus nécessairement d'actualité. Un texte, par exemple, nous parle avec humour de la dernière élection. Pour les lecteurs et les lectrices de 1989, ce texte fait référence à *l'avant-dernière* élection. Dans le même ordre d'idée, il faut ajouter entre un an et quatre ans à l'âge inscrit à la fin de chaque texte pour connaître l'âge actuel des gens.

— Une demi-douzaine de personnes donnaient des informations très précises sur leur travail (nom de l'employeur ou du dossier sur lequel elles travaillaient). Dans ces cas, nous n'avons retenu que le métier ou la profession exercé à moins que l'information supplémentaire ait un sens particulier aux yeux du client ou de la cliente.

— Comme il se doit, nous avons remis ces textes à un réviseur-correcteur avec le mandat d'intervenir strictement au niveau de l'orthographe, de la grammaire, de la syntaxe et de la ponctuation. Deux textes ont échappé à son intervention: ceux de deux hommes non francophones, *Après* et *G.L.* Nous avons voulu garder à ces textes leur charme étranger.

— Les textes de ce livre sont représentatifs de ceux déposés à La Boîte à mots c'est-à-dire, par exemple, que la moyenne d'âge de notre clientèle est la même que la moyenne d'âge de ceux et celles dont les textes sont publiés ici. En ce qui concerne les métiers ou professions exercés, nous avons également tenu compte de la représentativité mais aussi, de la variété des horizons professionnels et sociaux. Nous avons également choisi ces textes en fonction de la variété des styles et des genres (poésie, entrevue, test, recette, dialogue, etc.).

— Nous aurions aimé publier tous les textes déposés car tous les textes sont intéressants, mais il nous fallait en choisir cent sur mille. Au-delà de ces critères de représentativité et de variété que nous nous sommes fixés, il nous restait une marge de manoeuvre, une part d'arbitraire, mince, mais réelle. Nous avons donc exercé cette liberté selon nos goûts, nos valeurs et nos divers intérêts personnels et sociaux. Mais parfois, nous aurions préféré ne pas avoir cette liberté tant il nous était difficile de faire des choix.

Bien sûr, comme tout le monde, vous serez convaincu(e), en lisant ces textes, que la petite brune de 5' 3", 34 ans, enseignante, mère d'un Simon de neuf ans, propriétaire d'une Toyota grise, etc., oui bien sûr, c'est votre voisine du troisième étage. Et bien sûr, comme tout le monde, vous vous tromperez... Amusez-vous si cela vous chante, mais l'intérêt de ce livre est ailleurs, et ça, vous le découvrirez...

Par contre, je vous mets au défi de relever les textes écrits par quatre écrivain(e)s. Tout comme nos autres client(e)s, ces quatre personnes, reconnues par «l'Institution littéraire», se sont inscrites à La Boîte à mots dans le but de se faire un ou une amie, en nous cédant aimablement leur texte.

Une quinzaine d'étudiant(e)s en littérature et leur professeur ont essayé de reconnaître ces textes d'écrivain(e)s parmi les autres et ont échoué... Tous et toutes en étaient confondu(e)s... Je ne cache pas que j'ai retiré un certain plaisir de cette petite expérience...[1]

---

[1] Pour cette expérience, ces quatre textes d'écrivain(e)s, plus un cinquième, avaient été dispersés dans un corpus de 30 textes (dont la plupart se retrouvent dans ce livre) au lieu de 100, ce qui, en principe, augmentait leurs chances de réussir ce test.

Cette expérience a été faite dans le cadre du cours *Sociologie de la production culturelle*, module d'études littéraires, automne 1988, Université du Québec à Montréal.

En résumé, j'estime que — dans certaines conditions et avec une détermination certaine, surtout si l'œuvre exige du souffle — tout le monde est capable d'écrire; sauf les analphabètes dont il ne faut malheureusement pas sous-estimer le nombre au Québec, bien qu'ils soient marginaux. J'estime également que l'histoire de tout le monde est intéressante.

La Boîte à mots aussi a une histoire, et toute une!... Je m'en réserve le récit pour plus tard, ce qui me permettra de remercier tous ceux et toutes celles qui nous ont aidées. Car il en a fallu de l'aide, beaucoup d'aide, sous toutes sortes de formes, pour réaliser ce projet singulier et venir à bout de la peur, qui engendre parfois le mépris, de l'orgueil et des préjugés.

En ce qui concerne ce livre, je ne saurais cependant passer sous silence l'aide financière, sous forme de petits prêts personnels, d'une demi-douzaine d'ami(e)s qui, comme la plupart des mécènes, préfèrent garder l'anonymat. Merci. Merci aussi à tous ceux et à toutes celles qui ont collaboré, par un conseil, une suggestion, une information, à la réalisation technique de ce livre ou qui l'ont acheté d'avance par le biais d'une souscription.

J'aimerais également remercier un de mes anciens professeurs, Gaëtan Lévesque, chargé de cours au département d'études littéraires de l'Université du Québec à Montréal et éditeur de *XYZ*, qui m'a guidée avec générosité et désintéressement dans cette première expérience d'édition. J'espère lui avoir fait honneur.

Au nom de Gisèle Laliberté, mon amie et collaboratrice depuis le début, de Lisette Germain, qui s'est harmonieusement intégrée à notre duo, et en mon nom personnel, je vous souhaite autant de plaisir à lire ces textes que nous avons eu de satisfaction à les susciter.

Bonne lecture à tous et à toutes,

Suzanne Boyer
le 29 mars 1989

textes
féminins

Accroche-cœur

Et si par hasard...

On dit que le hasard et le temps font bien les choses. Mais que sont-ils sans l'action? Écrire ce texte en est une. Car croiser le chemin de l'âme sœur au bon moment par hasard me semble parfois utopique. On le croise ou trop tôt ou trop tard. Je pourrais attendre que le hasard fasse quelque chose. Et si je l'aidais un peu...

Je crois encore qu'une relation à deux peut être autre chose qu'un champ de bataille et de déceptions. Mais je n'ai plus le temps ni l'énergie d'investir dans des relations à l'aveuglette. Recommencer sans cesse devient épuisant. Au moins je sais que si tu me réponds, c'est parce que tu partageras ma façon de voir les choses. Voilà un point important de gagné.

Il y a longtemps que j'ai abandonné les chemins tortueux des bars et discothèques (lire jungles ou meatmarkets) où l'on ne peut que sortir déçu. Il y a ceux qui sont déjà «pris», ceux qui ont peur de s'engager, ceux pour-une-nuit-seulement, ceux qui combattent leurs sentiments de peur de perdre le contrôle de leur vie, ceux qui sont infidèles, ceux qui sont accrochés à leur mère, ceux qui ne peuvent oublier leur dernier amour, ceux qui ont la glande pituitaire sérieusement atteinte, ceux qui préfèrent les hommes, ceux qui sont hantés par leur passé, ceux qui-ont-des-problèmes, et j'en passe... Et puis il y a ceux qui croient qu'une relation à deux peut être agréable et enrichissante. Je suis intéressée par cette dernière catégorie uniquement.

J'ai lu un passage dernièrement dans un livre qui rejoint de très près ma définition d'une relation. Elle est peut-être un peu idéaliste, mais je suis convaincue que deux personnes matures peuvent y arriver. Je te le résume dans mes mots:

> Une relation à deux signifie avoir la possibilité de développer de nouveaux aspects de soi-même, de découvrir de nouvelles forces et d'atteindre un plus grand sentiment de bonheur. C'est accroître sa capacité de respecter une autre personne, de l'accepter avec ses forces et ses faiblesses, c'est prendre soin de quelqu'un de telle façon

que sa croissance et son bien-être deviennent aussi importants que les miens propres. Évidemment je n'aimerai pas tout chez l'autre, pas plus que l'autre n'aimera tout chez moi... (Mais la perfection n'est-elle pas d'un ennui...)

C'est un compagnon, quelqu'un avec qui je puisse partager mes émotions, mes pensées, mes aspirations, quelqu'un dont les buts peuvent être différents des miens, mais pas opposés, quelqu'un sur qui je puisse m'appuyer si besoin est et dont je veux qu'il puisse s'appuyer sur moi. Toutefois, ce n'est pas une relation basée uniquement sur cet appui, mais plutôt sur le développement le plus complet de l'individualité de chacun.[1]

Je n'aime pas tellement l'idée de me vendre sur papier, alors je serai brève pour parler de moi. Pas compliquée mais complexe, aussi exigeante que tolérante, je suis intense, passionnée, compréhensive et responsable. Je joue franc. Rien n'est faux avec moi. Même si tu n'es pas mort de rire en lisant ce texte — probablement parce que je considère le domaine amoureux plus sérieux — disons que je ne donne pas ma place quand je laisse aller mon humour. Me décrire physiquement? Je suis trop modeste et j'ai horreur de la prétention. Qu'est-ce que la couleur de mes cheveux-yeux pourrait influencer? D'après l'opinion générale j'ai une belle personnalité, un beau style. Je prends soin de mon intérieur comme de mon extérieur. Ma vie gravite autour de mes études, de la vie sociale, du divertissement et de la condition physique. Je ne suis ni granola ni fervente de fast food. J'adore voyager, comme j'aime me prélasser devant un feu de foyer. Le reste est à découvrir...

Je ne recherche pas le prince charmant sur son cheval blanc beau-fin-riche-intelligent. (Si ton cheval est noir, ça fera quand même!) Mais j'accorde beaucoup d'importance au sens de l'humour, à l'intelligence, à l'honnêteté, à la capacité de communiquer et à un esprit et un corps en santé. Si tu y corresponds, pourquoi ne pas m'en informer, par hasard...

Accroche-cœur, 27 ans, étudiante

---

[1] *Adieu*, Dr Howard M. Halpern, Le Jour, Éditeur, Montréal, 1983, p. 132-133.

Antarès

Je suis parfaitement imparfaite. Je suis sensible à la poésie de tout et de tous. Je ne confonds pas un fait de nature et un fait de culture ou d'esthétique. Je suis infiniment versatile dans mes goûts, curieuse de tout ce qui est nouveau. J'aime par-dessus tout prendre le temps de vivre et goûter aux bonnes choses. Mon désordre est toujours fort bien organisé.

Ma commande au Père Noël

Je cherche un homme. (Mais je ne m'habille pas d'un tonneau et je n'ai pas de lanterne.) Je cherche un homme intelligent, sensible, éduqué, autonome, attentif, à l'aise avec son corps, la tendresse et la sexualité, amoureux de musique (classique et jazz) et de nature, curieux et informé, disponible, calme et équilibré, solvable, bon vivant sans abus notoire.

Je crois pouvoir offrir la réciproque pour toutes ces caractéristiques avec en plus quelques autres qualités et défauts: je suis un peu sauvage et indépendante, plus à l'aise avec quelques amis intimes que des connaissances sociales superficielles; je suis tolérante et respectueuse de l'individualité de chacun; je suis soucieuse de croissance et de mieux-être; tendre et facétieuse, généreuse, j'ai assez d'humour pour me moquer de moi-même; je suis volubile et verbeuse.

Musique et musiciens préférés:

— Bach: *Magnificat, Suite pour violoncelle, L'Offrande musicale*, les concertos de toutes sortes...
— *Sacre du printemps*
— Sonate *Hammerklavier* de Beethoven, *L'Héroïque*
— Callas (n'importe quoi)
— *Premier concerto pour piano* de Brahms
— Charlie Hayden, Ron Carter, Milt Jackson, Keith Jarret, Wynton Marsalis, Ry Cooder, Roberta Flack...

Je suis curieuse du reste, il y a peu de musiques auxquelles je ne suis pas minimalement réceptive.

Livres et auteurs préférés:

— John Cheever: *Falconer*
— Queffélec: *Les Noces barbares*
— Milan Kundera
— John Irving, John Fowles, Julian Jaynes, Dorothy Dinnerstein...
— Psychologie, philosophie, histoire de l'esprit, monde contemporain, arts, romans contemporains.

Sports préférés:

— Voile: je suis propriétaire et skipper d'un Tanzer, 22 pieds, petit quillard habitable pour les mordus
— Marche en forêt
— Ski de fond: je suis pas bonne mais j'aime ça
— Jogging: au printemps, comme les moutons dans les prés.

Activités d'intérieur préférées:

— Câlin câlin
— Lecture
— Musique, piano
— Voyager sur papier
— Cuisiner
— Placoting, rien du touing.

Vêtements préférés:

— Sweat suit (mais je me retiens)
— Sur un homme: aucun..., et si nécessaire, pull en cachemire et slip de soie (je ne suis pas française).

Particularités physiques appréciées:

— Des yeux intelligents, francs et rieurs
— Des mains sensibles et bien articulées
— Je suis fort aise de toutes les grandeurs et grosseurs, si elles n'ont aucune prétention au *Guiness Book of R...*
— En santé, propre, peau saine
— Peu sensible au mal de mer.

— Turn on: tendresses subtiles et gentiment inquisitrices, en crescendo, genre *Boléro* de Ravel.

— Turn off: me faire envahir sans préavis, genre marche militaire; qu'on me prenne pour acquise.

Activités abhorrées:

— Tâches domestiques (tous les moyens sont bons pour les faire faire par les autres, mais je comprends ceux qui ont la même attitude et il y a habituellement moyen de s'entendre)

— Repasser, prendre soin et entretenir des vêtements

— Magasiner quand j'ai besoin de quelque chose.

Films récents et acteurs préférés:

— *Le Baiser de la femme araignée*, *Out of Africa*, *Prizzi's Honor*... Jack Nicholson, Orson Welles, William Hurt.

Rêve:

— Faire le tour du monde en voilier.

Aliments préférés:

— Gazon!

— Veau, gigot d'agneau, saumon fumé, le homard à Bar Harbour

— Fromages français fins

— Vins de Margaux, champagne, eau de vie de poire du Valais suisse

— Confitures anglaises

— Les toasts au beurre de peanut et bananes!

Ambition la plus chère:

— Avoir un amant qui puisse aussi être un ami avec qui partager les rires, les tendresses, les élans, les plaisirs et les difficultés.

Pour qui ça intéresse, je suis une très belle femme, canon Vénus de «Milou»; les jeunes filles de Renoir, quelques années plus tard; Maillol, en plus tendre au toucher.

Si j'étais amoureuse, j'écrirais des poèmes d'amour à un homme; en l'absence d'un élu actuel, je m'exerce sur mon bateau, car l'hiver est long.

Et l'Antarès, ce sein que j'habite et qui m'habite,
Ce trésor qui me berce
Et m'emmène dans des dérives de rêves vifs et joyeux,
Cette nef de résine qui emprisonne hors de moi toutes les menaces du
   monde.

Je m'y baigne dans la liberté comme le cochon dans la bonne et grasse
   boue.
C'est mon observatoire de la beauté des montagnes femelles à en mourir,
Des lumières caressant les collines timides,
Des soleils lents et des lunes fugaces,
Des flots à l'endroit et des flots à l'envers
   et de leur chant gaillardement scandé sous la coque.

C'est la solitude remplie de l'univers entier,
C'est la paresse de celle qui prend le plus long chemin pour mieux rêver,
C'est le silence des bruits que l'on veut entendre,
C'est la nuit de veille à épier les colères du ciel
   et la nuit de sommeil à jouir des douceurs.

Antarès, 37 ans, scribe

P.S.: J'élargirais volontiers aussi
mon cercle d'amies.

Artémis

Ben..., je suis brune aux yeux verts quand il fait beau
et gris quand il fait gris. 5' 6", 110 lb.

«Je suis une militante
Du parti des oiseaux
Des baleines, des enfants,
De la terre et de l'eau...»

Renaud

Je cherche un coquin, un rigolo, un compagnon
pour visiter la Galaxie, aller-retour, et plus...

Lettre au parfait inconnu

Il était une fois une jeune femme, plutôt jolie, assez intelligente, et modeste avec ça; quoiqu'ayant le nez un peu long (vieux complexe d'adolescente...) mais bon, personne n'est parfait.

Tannée qu'elle était. De sortir dans les bars, rue Saint-Denis ou ailleurs. Encore heureux que j'aime danser. Pour pogner, c'est pas pour me vanter, mais le problème n'est pas là. Non, ça serait plutôt pogner qui, et pour faire quoi? Pas grand chose finalement, et toujours le même genre de sorte de type de gars: les gars de bars justement, qui cherchent toujours le même genre de... On n'en sort pas. Alors je me suis décidée à t'écrire.

Elle avait déjà cru trouver l'amour, ça avait duré trois ans, et elle avait gardé en souvenir une coquine de trois ans, sa fille justement. Zazou pour les intimes. Espèce de petite clouwne. Entre l'enfant et l'université (UQAM, linguistique et écriture) plus: lavage-cuisine-ménage, un minimum mais quand même ça occupe, elle n'avait pas le temps de s'ennuyer, c'est toujours ça de gagné.

D'autant plus qu'il faut aussi vivre,
arroser les plantes et les regarder pousser,
chatouiller l'accordéon (à pitons),
tirer des fois au Yi King,
des fois au Tarot,

pratiquer le Tai Chi (style Yang),
boire le soleil sur la galerie (quand y en a!),
lire, rêver, écrire. Dormir.
Regarder le ciel, les nuages, la lune, les étoiles.

Et pourtant, pourtant, c'est pas que le lit soit trop petit ou trop grand, on
s'habitue très bien à dormir au milieu. C'était plutôt son âme qui avait soif,

de regards lumineux transparents,
de confiance limpide,
de passion tranquille et tendre,
de ces caresses magiques qui touchent le dedans du cœur,

peut-être de vivre ensemble, en tout cas d'appartenir à la même espèce,
chatouilles, fous rires et petits becs.

Intermède musical

Chanson chuchotée

«J'aimais tant les hirondelles
Quand les reverrai-je enfin?
La mer et les mirabelles
Le vent chaud et le jasmin...
Les petits rendez-vous
Et les nuits sans sommeil
Les baisers dans le cou
Les levers de soleil...»

Brigitte Fontaine et Areski

La mer... La Mère Nature, dans sa compassion, nous aurait-elle donné
l'océan comme une métaphore de son immensité fluide?

Qu'est-ce qu'elle dit?

Faut dire que je suis née à Marseille (en 1958), d'une Égyptienne et d'un
marin, c'est une longue histoire. Mais bon, il m'en est resté quelque chose.

Au mois d'août en plus. Moi j'ai jamais assez chaud. Ben oui, je suis Lionne et alors? Et ascendant Taureau en plus, cher ami. Si tu cherches une petite femme douce et délicate, tourne la page, je suis plutôt du genre forte tête (en l'air), irréductible et assez passionnée.

M'enfin, y en a qui aiment. J'espère.

Quand je dis petite femme, ne va pas t'imaginer je ne sais quoi… je ne suis vraiment pas obèse, plutôt longue et mince, même en devenant mère j'ai pas réussi à engraisser, c'est ben pour dire.

Écoute, si on se disait tout?

À quoi ça sert d'être émerveillée par la beauté des choses vivantes de tout poil, feuille et plume, si c'est pour être toute seule avec ça? J'ai vraiment soif, tu sais. Cette lettre, ça fait trois semaines que je la porte en moi, c'est pire qu'un travail de session! Pas de farce, j'en tremble. Une bouteille à la mer.

La mer…

Et les regrets, quand l'amour est éparpillé à tes pieds, en petits morceaux, tout ce qu'on n'a pas dit par orgueil, ça va un moment, mais j'ai appris à ne pas les mettre partout, sinon c'est plus de l'amour, c'est du syndicalisme!

N'empêche que j'ai des idéaux très forts, mais je ne les projette plus sur les autres, surtout pas les copains, c'est promis.

Et puis il faut que je te dise que la vie spirituelle, pour moi c'est très important. Une spiritualité sauvage, tantrique, totalement incarnée. La magie mystérieuse des saisons, la renaissance éternelle des plantes, de la lune…

Je suis en train de m'écarter de plus en plus de mon brouillon que je fignole depuis des jours, ça commence à devenir intéressant ce jeu-là.

Ce jeu-là:

Si vous aviez sept pages maximum pour explorer ce que vous êtes essentiellement, et en quoi c'est vous et personne d'autre, qu'écririez-vous?

Il est tard, si on dormait? Demain Zazou va se lever, en pleine forme et affamée, et moi je vais être fraîche!

Mise au point:

Je ne suis pas à la recherche d'un père pour ma fille, car elle en a déjà un qui fait très bien l'affaire. Surtout depuis qu'on habite plus ensemble (un an). Quand il la prend chez lui ça me fait des vacances, alors tu vois.

Bon.

Et toi?

Qui es-tu essentiellement?

Portrait du parfait inconnu:

Les pieds plantés dans la terre grasse du quotidien.
La tête dans les étoiles. (Les étoiles...)
Le cœur qui bat le tambour de la Danse.

Jeune (24-35 ans, mettons). Un peu androgyne, ni barbu ni poilu. Le cœur ouvert, émerveillé devant tous les mystères qu'on a sous les yeux et que les aveugles prennent complètement pour acquis.

Je crois que j'aime par-dessus tout les gens qui n'ont pas abandonné leurs rêves au vestiaire de la grande moulinette à chair à canon, et qui continuent malgré tout la quête d'un idéal merveilleux, «la totalité de soi-même», comme disait l'autre. Le premier qui trouve qui a dit ça gagne un bec sur le bout du nez!

Pour moi, ce qui est important chez un homme, c'est qu'il soit capable d'explorer et d'exprimer ses émotions. Et de réfléchir sur la qualité de la relation. Parce qu'avec cette espèce d'idéal de l'amour romantique, on vit avec l'illusion que tout doit aller de soi, comme par magie. Et on se plante le doigt dans l'œil... jusqu'au cœur!

Petite annonce mythologique:

Artémis cherche Dionysos pour tendresse, fous rires et petits becs; désire plaisir, peut-être amour... *Pater* austères incapables de rire d'eux-mêmes, s'abstenir absolument.

Tu vois, sur le fameux brouillon, il y a toute une liste de choses que j'aime (la lune...) et quelques-unes que je n'aime pas. Mais j'ai pas envie de recopier bêtement, alors je reste là, la plume en l'air, à écouter la merveil-

recopier bêtement, alors je reste là, la plume en l'air, à écouter la merveilleuse musique de Clannad. C'est irlandais et féerique, la fille a une voix pas possible. J'aime aussi Renaud, Paul Simon (*Graceland*); toutes les musiques qui me rendent incapable de rester assise sans bouger. Et plein d'autres choses, on s'en reparlera, hein?

Je m'allume une cigarette. Ben oui je fume. J'ai arrêté trois ans (le lendemain du test de grossesse!). Mais le célibat…, tu vois le tableau: un bar, une bière, une puff, puis deux…, et paf! Tant pis pour moi.

Il faut que je te dise que je suis loin d'être méticuleusement ordonnée et que la vaisselle n'est pas mon point fort. Par contre j'adore faire la popote (en collaboration avec Zazou), surtout pour une tablée de copains z'et copines. Vin rouge et petit joint. Et une partie de backgammon.

Il m'est déjà arrivé de pleurer toute une soirée parce que les femmes se font violer partout et qu'ils ont brûlé toutes les sorcières.

J'ai déjà voulu être sage-femme. (J'ai accouché à la maison.)

Me voilà en train de faire une formation de traductrice…, mais je continue de penser que les sages-femmes font le plus beau métier du monde.

Je connais par cœur toutes les chansons de Passe-Partout. Et le chemin pour aller à la garderie.

Et les dernières pages d'*Archaos* (Christiane Rochefort).

Et plein d'airs irlandais et des vieilles valses à l'accordéon, et des dialogues des *Enfants du Paradis* (Baptiste…).

Et aussi, *Je t'écris de la main gauche.*

Bon. «Les paroles seules comptent, le reste est bavardage.» (Ché-pu-qui.)

Bonne nuit cher ami,

See you around the Galaxy,

Artémis, 28 ans, étudiante

Astérie

À quoi ça sert l'amour... (Piaf)

Faire le marketing de sa propre personne... comme on vendrait une tablette de chocolat!

Pour cela, il faudrait additionner tous les romans Harlequin de la Terre: portrait-type de l'homme idéal et de l'héroïne..., cheveux flottants, taille parfaite..., cœurs enflammés...

Plus jeune, je me suis reconnue dans le personnage de Florentine de Gabrielle Roy, en cette attente muette, sa fragilité et ce fol espoir! J'ai ce côté «rétro» encore, un peu «fleur bleue» malgré tout.

Comment piquer la curiosité de la bonne personne? Voilà la question.

C'est moi qu'on peut voir...
— au cinéma de répertoire ou à la cinémathèque, seule devant des vieux films;
— moi qui passe mes dimanches après-midi à la bibliothèque ou quelque part à me promener à vélo;
— moi qui arpente la ville que j'aime tant, ou encore au théâtre dans les pièces d'avant-garde;
— moi qui aime tant la vie, les fleurs sauvages, les paysages d'ici, moi qui chantonne si souvent.

Dans la culture vietnamienne, il est malséant de dire *moi* ou *je*: quelle impolitesse, je dois commettre!

Je pourrais faire une description cinématographique de ma personne:
— tête à la Anne Trister
— taille à la Bardot
— voix à la Fanny Ardant

Mais vous ne me croiriez pas! Quelle montagne de prétention! Non, sans blague…, je peux ressembler à Anne Trister pour l'apparence.

Je pourrais chercher quelqu'un à mi-chemin entre Gérard Philipe, Lino Ventura, Yves Montand et Louis Jouvet, avec l'esprit de Guitry et la naïveté —c'est très important!—de Bourvil… C'est pas simple! Surtout quelqu'un qui peut être connecté sur ses émotions, qui peut en parler sans être trop alourdi par les expériences passées. Une personne capable de voir devant elle et non derrière, qui planifie plus qu'une journée à la fois. Il y a tant de choses encore à faire et à vivre; comme disait Aragon:

«Nous étions faits pour être libres
Nous étions faits pour être heureux
Le monde l'est lui pour vivre
Et tout le reste est de l'hébreu…»

J'aimerais que la plus belle partie de ma vie soit à vivre. Quand je vois les yeux confiants et amusés de mes trente petits mousses, je me dis qu'il est bon de prendre la mer malgré tout. Bien sûr, il y a les vagues, peut-être le mal de mer et les tempêtes, mais aussi les couchers de soleil aussi beaux et nombreux que ceux du Petit Prince. Qui sait…, peut-être verrons-nous le «rayon vert»?

Je vais toujours être ainsi, avec du rêve au coin des yeux et un esprit pourtant mordant à mes heures.

Ce que je ne suis pas:
— une statue
— une mère de famille nombreuse
— une consolatrice d'affligés
— une infirmière
— une gestionnaire du temps des autres

Ce que je ne veux pas:
— un fumeur
— un alcoolique du travail
— un mordu des jeux de société ou des sports
— un fou de la java ou de la danse africaine
— un monsieur muscle ou un homme à roulettes, le chronomètre à la main
— un gars à «gang»
— un amoureux des chats
— un Casanova m'as-tu-vu
— un angoissé de la solitude.

Il est combien plus difficile de dire qui l'on est!

Depuis peu, je sais que je suis une adulte... J'ai de rares ami(e)s, je suis solitaire, réservée dans un groupe. Espiègle et rieuse, exigeante dans mon travail et ma vie privée, je crois que je suis une personne tendre avant tout.

> «Mais le plus grand paradoxe de l'amour n'est-il pas qu'il lui faille la distance pour anticiper l'union et la différence maintenue entre l'un et l'autre, alors qu'il ne rêve que de l'abolir? Comment jouir de l'amour sans s'y perdre, sans le perdre? Comment se tenir dans l'amour!»
>
> Annie Leclerc

Quelle piste de réflexion, n'est-ce pas?

J'aimerais rencontrer un homme qui soit disponible, avec du temps et de la spontanéité possible. Avoir des loisirs communs, partir en voyage loin, voir des choses nouvelles... En somme, être bien! Envisager ensemble le temps qui vient!

Vous avez eu la curiosité de vous rendre jusqu'au bout de cette lettre, c'est chouette, car c'est peut-être à vous qu'elle s'adresse...

J'ai choisi Astérie comme pseudonyme, à cause de la musicalité du mot et puis..., j'aime bien la mer.

Astérie, 37 ans, enseignante

Bégonia

Grande et mince
ça c'est pour le coup d'oeil,
pour le coup de foudre...
faut attendre l'orage...

Oh! la, la!... Il me faut maintenant exprimer mes désirs avec des mots. On dit que ce que j'écris sent la poudre à canon; moi qui suis plus peureuse qu'un lièvre, cela a de quoi m'effrayer.

Comment alors te décrire que j'ai bel et bien 40 ans et, avec humour, prétendre que je suis un bon produit? Comment susciter l'intérêt sans pour autant faire de fausse représentation? L'imagination nous guette à chaque virgule et, comme une marée montante, risque de submerger le relief. Il serait peut-être plus simple de dire que je suis une femme mesurant 5 pieds et 8 pouces et que je n'ai pas de bosse dans le dos.

Présentement, où je travaille, il n'y a pas d'homme de mon âge qui soit libre. La drague ne m'intéresse pas; il y a trop de vase et l'on s'y perd. M'inscrire à La Boîte pour moi, c'est peut-être l'occasion de rencontrer des hommes qui comme moi, se cherchent de la compagnie. C'est sans prétexte, comme a dit Suzanne: on va là pour ça.

Dans ce domaine, je ne crois pas qu'il y ait de candidat idéal; il n'y a que de bons jumelages, de bons agencements. Ce qui convient à l'un, ne conviendra pas nécessairement à l'autre, et c'est seulement quand on connaît les personnes que l'on peut évaluer les fameux atomes crochus.

Entre ce que l'on dit et ce que l'on fait...

Si tu as le courage de lire mon texte sans me connaître, tu as déjà une particularité qui m'enchante: la curiosité.

Moi, ce que je cherche, c'est la présence d'un ami. Souvent, c'est quand on est privé d'une chose que l'on peut plus aisément en cerner les contours.

J'ai enseigné vingt ans au secondaire, les arts plastiques. Je crois que ce détail est assez important. Si pour quelques-uns cela peut être positif, pour d'autres c'est pire qu'une bosse dans le dos. «Ah! ces femmes autonomes, on en a marre.» Autonomie bien relative; «s'il n'est pas bon que l'homme soit seul», je peux affirmer que ce n'est pas tellement mieux pour une femme. Je n'étais quand même pas pour me contenter du B.S. en attendant le prince charmant. Tu sais, la vie est un terrible poker…, et l'on n'a pas toujours une paire de rois dans son jeu.

Bon, et bien maintenant j'espère que tous ces mots mis bout à bout seront suffisants pour signaler que j'existe. Pour ce qui est de ce que je suis et de ce que tu es, cela demeure à découvrir.

«Rien n'est jamais acquis à l'homme, ni sa force, ni sa faiblesse…» C'est un très beau poème d'Aragon. On le chante à vingt ans, mais on ne le comprend qu'à quarante ans…

Voici quelques-unes de mes occupations favorites:

La bonne table m'attire toujours. J'aime moi-même cuisiner de petites réceptions où l'on philosophe entre amis.

L'audition musicale occupe une grande partie de mon temps. Mes amis me font écouter des musiques que j'aime bien; pour ma part, je ne connais que la musique classique et j'ai un faible pour la partie vocale.

J'ai toujours adoré la neige, même de façon contemplative. Je fais du ski alpin, intermédiaire, et de la marche à pied.

L'été, la mer et le camping sont mes passions.

Naturellement ma production artistique est au centre de tout cela. Présentement, je fais sérigraphie, eau-forte et photo.

À bientôt,

Bégonia, 44 ans, graveure, arts

Bic (à pointe fine)

*Pourquoi La Boîte à mots? Parce que j'aime la formule
(sans intervention). Parce que j'ai le goût de partager du temps,
des idées, des activités, pas parce que je m'ennuie.
Ça m'tente pas, mais je vais tenter de me décrire.
C'est pas par humilité, c'est parce que je suis visuelle.
Quelque part entre 5' 4" et 5' 5", entre 125 et 128 lb,
moyenne de «ligne», avec des yeux bruns
qui expriment tout ce qui se passe en moi (pas de cachette!).
Pourquoi La Boîte à mots? Parce que j'ai le goût, parce que j'aime
ce qui sort de l'ordinaire, et parce que c'est le temps.*

De la tendresse au fou rire; c'est dans cet espace infini que j'ai le goût de vivre ce qu'il y a devant moi.

J'aime la vie, j'aime les différences et les nuances.

J'aime les gens sans détours, capables de confiance — à l'aller et au retour.

J'aime partir en voyage, au Guatemala ou à Québec, à pied ou en 747.

J'aime les chandelles mauves, *Ma liberté* de Serge Reggiani, les tounes de Richard Séguin, la voix de Rose Laurence, la musique de Chris de Burgh, *Les quatre saisons* de Vivaldi, ma chatte Fédélise.

J'adore danser, skier, placoter, flâner, lire et camper (à Plaisance ou au Hilton).

J'aime le monde, les jeux de société, les idées nouvelles (tout autant que la tendresse traditionnelle), les décorations de Noël, la neige (en campagne), les pique-niques pis la choucroute d'André.

J'aime pas être en retard, les soupers d'affaires, ou quand y a trop de monde. J'aime pas le jaune orange, les menteries. J'ai de la misère avec la chicane, la violence, le monde qui empiète sur le terrain du voisin. J'aime pas les promesses, les grands discours, je préfère les surprises et les imprévus.

J'ai besoin de solitude, de vitamines, de tendresse, de Julien (le bébé de ma chum Claude).

J'ai besoin de partager: idées, soupers, regards, une crème glacée, mon opinion sur les relations.

Je ne saurais me passer de la complicité et du rire d'Annie (ma fille), ni de l'esprit et du p'tit côté straight de Ludvick (mon gars) — mais je vis très bien sans pression (directes ou enveloppées).

Des folies, des rêves? Passer Noël en Laponie, faire partie d'une troupe de danse, acheter une petite église et m'y installer parmi des tas de coussins et de plantes, parler 15 langues, jouer des percussions, abolir l'«habitude»…, mais j'ai réellement une balançoire dans mon salon!

Alors, si tu aimes te balancer, ça me fera plaisir de t'inviter.

Bic (à pointe fine), 40 ans, intervenante communautaire

Boule de gomme

Attention! Ne pas s'arrêter à l'âge! Je ne suis pas décrépite, en fait,
je fais plus jeune que la plupart des hommes de 35 ans. (Et vlan!)
Si tu as le goût de découvrir une femme entre Boule de gomme (au sens
figuré, bien sûr... physiquement, je suis le contraire d'une boule:
5' 3" 3/4, mince), et Madame Arthur qui avait un petit je-ne-sais-quoi,
tourne la page, installe-toi.
«Just relax, enjoy the ride.»
(Fair Game, Stephen Stills).

S'rais-tu dev'nue une femme?

Avant de partir avec moi, tu dois passer un petit test. Coche mentalement les caractéristiques qui te conviennent.

1. Je suis en amour avec mon char ....☐

2. Je fais sonner mon p'tit change
   dans le fond de mes poches ....☐

3. Je fume et surtout
   je machouille de gros cigares ....☐

4. Je porte mes chemises entrouvertes
   sur mon torse velu et ma (fausse) chaîne en or ....☐

5. J'appelle mes blondes «Bébé» ....☐

6. Je cale ma caisse de 12 tous les
   jeudis soirs avec mes chums ....☐

7. Je déprime quand je manque un match de hockey ......☐

INTERPRÉTATION DU TEST

a) Si tu as coché une seule case, sans doute es-tu récupérable. Prends toujours une chance de me lire.

b) Si tu as coché plus d'une case, laisse tomber.

Bonjour les autres,

Bien sûr, il y a des abîmes entre le macho invertébré et l'homme dit nouveau. Comme entre Boule de gomme et Madame Arthur. Commençons par cela.

Boule de gomme: Pourquoi ce surnom? Eh bien d'abord pour me situer dans les premières pages de l'album, alors que tu ne seras pas trop fatigué de lire. Et aussi parce que, jusqu'à il y a environ trois ans, ça aurait pu me définir assez bien. En effet, j'ai repoussé l'âge adulte assez longtemps. *Physiquement*, je n'ai rien d'une boule. Je mesure 5"3" 3/4 comme je l'ai déjà mentionné en présentation et je suis mince. Mais...

Psychologiquement, je me suis attardée dans l'adolescence. J'ai toujours eu l'air d'une grande jeune fille. Mais voilà, à 36 ans, je me suis dit qu'un jour je serai vieille sans avoir été une femme. Une vraie femme. Alors, je me suis acheté des souliers noirs et des bas noirs et le résultat n'est pas mauvais du tout.

Je blague. Bien sûr, on ne devient pas une femme parce qu'on porte des bas noirs. Mais le goût du changement de look, lui, a marqué un passage. Quant au reste, la maturité intellectuelle, émotive, affective, entre 31 et 36 ans, la vie s'est chargée de me l'apprendre, souvent à grands coups de pied..., vous voyez ce que je veux dire.

«Hé, Boule de gomme! S'rais-tu dev'nue une femme?»

Oui. Enfin! Et je l'apprécie.

J'apprécie d'avoir appris à me protéger, à ne plus rouler à tombeau ouvert, à me connaître mieux, à dire oui quand je pense oui, non quand je pense non. Et Madame Arthur?

«Madame Arthur est une femme
qui fit parler, parler, parler, parler
d'elle longtemps
(...)
À cause de son je-ne-sais-quoi.»

Ce que je veux dire, c'est que si on ne se retourne pas sur mon passage, par ailleurs, certains hommes m'ont trouvée belle. Question de feeling aussi, peut-être. Moi, je ne me trouve pas belle. Mais je sais que je ne suis pas laide, pour employer un euphémisme.

Il en va de même pour les hommes qui me plaisent. Il n'est pas nécessaire d'être vraiment beau, mais il faut que la tête me dise quelque chose, une gueule, un je-ne-sais-quoi, difficile à expliquer... question de feeling.

Ce que j'aime: les arts en général, la lecture, la bouffe, la musique (énormément), la bicyclette, la marche avec quelqu'un (j'aimerais m'initier au plein-air aussi).

Et:

— le monde parfois, la solitude parfois
— parler, me taire
— écouter
— écrire
— danser, chanter, pleurer et rire
— faire l'amour, de préférence avec quelqu'un que j'aime.

Ce que j'aime chez un homme: ça, je ne suis pas capable de le dire, parce qu'une personne, c'est un package. Il peut manquer à quelqu'un des qualités qui sont importantes et il me plaira quand même, tout comme un autre peut les avoir et ne pas me plaire. C'est le tout qui importe. Mais pour l'essentiel, je te propose un autre test (farfelus mais révélateurs, mes tests!).

1. Culture: Je fais la différence entre
   Michel Rivard et Michelle Richard .... ☐

2. Entretien ménager: Je possède une balayeuse et
   une cuisinière électrique et *je m'en sers* .... ☐

3. Voyages: Je préfère Venise à la plage Roger .... ☐

4. Politique: Je ne savais pas pour qui voter à la
   dernière élection provinciale ou j'ai voté N.P.D ..... ☐

5. Religion: Je trouve Jean-Paul II ridicule .... ☐

6. Vie affective:

   a) Je ne réfère pas ma blonde à sa mère
      quand elle a de la peine. Je suis là .... ☐

   b) Je reste collé après l'amour .... ☐

   c) Il m'arrive de pleurer .... ☐

   d) J'ai déjà bercé quelqu'un
      ou j'aimerais le faire .... ☐

Voilà!

Si tu as passé mes tests avec succès et que la femme qui transparaît dans ces lignes te dit quelque chose, écris-moi, on verra ce qu'on a le goût de faire ensemble.

Au plaisir de te lire et, qui sait, de te rencontrer,

Boule de gomme, 39 ans, enseignante

Carmen

Comme Roger Laroche

Comme Ulysse, j'ai fait de beaux voyages.

Comme Pénélope, je suis patiente et fidèle.

Comme les apôtres à la Pentecôte, je parle plusieurs langues (anglais, espagnol).

Comme Brassens, je n'aime pas les idées reçues, le conformisme et la surconsommation.

Comme Harlem Désir, je suis antiraciste et j'aime les gens pour ce qu'ils sont, indépendamment de leur pays d'origine.

Comme presque tout le monde dans ces pages, j'aime les sports de plein-air (canot, ski de fond, hiking).

Comme Simone de Beauvoir, j'aime les intellectuels.

Comme Sartre, je trouve que ce que l'on est est plus important que ce que l'on a (pardon Jean-Paul).

Comme les modèles de Matisse, je suis une femme-femme, bien en chair.

Comme le saumon dans sa rivière, je n'ai jamais fumé et n'aime pas me faire (en)fumer.

Comme Mozart, j'apprécie l'harmonie, et on me reconnaît à mon rire.

Comme l'ogre du Petit Poucet, j'aime les enfants.

Comme Astérix, j'aime les aventures en compagnie d'un fidèle compagnon.

Comme Idéfix, je suis attachante et enjouée.

Comme Jehane Benoit, j'aime faire la cuisine.

Comme Camillien Houde, j'aime la montagne.

Comme Jean Drapeau, je travaille fort et j'aime beaucoup mon travail.

Comme Jean Doré, je suis plutôt à gauche et je gagne rarement mes élections (mais peut-être bientôt?…).

Comme Mafalda, je suis bien informée, je réfléchis sur le sort du monde et j'adore les Beatles…

et comme Roger Laroche, j'ai vu beaucoup de circulation et je cherche à me poser…

Carmen, 36 ans, conseillère scolaire

Chat sauvage

Chat sauvage cherche gentil matou sans griffes qui voudrait l'apprivoiser. De préférence: professionnel, honnête, sens de l'humour, tendre, cultivé, 26-30 ans. 5' 7" minimum, apparence agréable, non fumeur, pour relation durable, vivante et vraie.

Me voici, souriante, et c'est vraiment moi. Tant pis pour ceux qui croient que les chats sauvages ne sourient pas: ils auront tourné la page trop vite. C'est vrai, j'aime les chats, mais de loin, sans en avoir. J'aime leur aspect mystérieux, secret, sensuel, silencieux ou ronronnant. Mais les chats sauvages…, c'est une autre histoire! On ne peut guère les qualifier ou les décrire, ils sont toujours en train de fuir ou de se cacher sous un meuble, derrière le frigo, sur la bibliothèque, chez la voisine, sous le balcon… Pas que je sois entièrement chat sauvage, non, mais on me dit encore craintive ou farouche parfois. Qu'on dise toujours, moi je continue à sourire, simplement pour le plaisir d'être bien.

Le principe du texte de présentation me plaît, puisque j'ai toujours aimé écrire. Ce texte établira un premier contact; il permettra de s'attarder aux idées, sans la première impression du physique qui quelquefois vient tout embrouiller. Pas que le corps ne soit pas important, bien au contraire, puisqu'il lui arrivera de servir de raccourci pour atteindre le cœur. Mais les idées aussi doivent pouvoir charmer pour que la tête soit de la partie. Par contre, un texte peut aussi être trompeur. Plus attirant que la réalité quelquefois, parce que plus concentré, loin du quotidien. Il ne retient que l'essentiel, le plus beau, le plus laid. Il est écrit en noir sur blanc; il faut lire entre les lignes pour deviner le gris. Encore faut-il deviner juste. C'est en apprenant à se connaître qu'on pourra nuancer les descriptions, les impressions.

Arrivée au point où j'ai fait le tour de moi-même, autant que faire se peut en vivant seule, j'ai un peu l'impression de faire du surplace. Dans cette fameuse bulle imaginaire qui nous entoure, je me sens trop à l'étroit. En ce sens, la relation amoureuse que je souhaite serait d'abord et avant tout un riche partage humain, permettant à l'un comme à l'autre un bel épanouissement digne d'un arbre (racines, tronc et feuillage compris!).

Je cherche donc un ami qui aurait des intérêts semblables aux miens (surtout culturels), tout en étant assez différent pour permettre à chacun un apport de nouveau ou d'originalité. Est-ce trop demander que de vouloir un juste équilibre entre le sérieux et le flyé, entre le timide et le prétentieux, entre l'homme d'affaires et l'artiste?

Mais comment me décrire? J'ai du mal à me donner des qualités ou des défauts. C'est tout à fait relatif. Je suis intelligente, mais il m'arrive de faire des choses insensées; je suis aussi orgueilleuse, mais encore là, il m'arrive de l'oublier assez longtemps pour faire des choses tout à fait sensées et gentilles. Je suis à la fois butée et influençable, craintive et fonceuse, naïve et désabusée. Et malgré tous ces paradoxes, je demeure une personne plutôt réfléchie et rationnelle. Il me semble important de conserver une certaine innocence face à la vie, certains diront un émerveillement. Ainsi, je déteste les gens blasés, vulgaires, pessimistes; ceux qui jouent aux victimes ou aux invincibles; les gens qui rient et parlent fort ou pour un large auditoire plutôt que pour leur interlocuteur. Il m'arrive d'être intraitable face à des gens semblables, mais j'apprends la tolérance, peu à peu.

Je préfère de plus en plus la simplicité. Une boutade me revient à l'esprit: «Si vous ne voulez pas de pépin, évitez le dénoyautage». Je n'y souscris qu'à moitié, ayant été longtemps une fervente de l'analyse psychologique, transactionnelle, etc. La simplicité s'obtient parfois au prix de processus très complexes. Cela aura été un peu mon cheminement. Il faut peut-être s'être analysée sous tous les angles pour un jour être saturée et ne plus vouloir qu'écouter, regarder et ressentir. Aujourd'hui je préfère être bien et écouter de la musique, simplement.

Si je lève un peu le voile sur mon petit univers, on verra, bien sûr, mon travail, qui est particulièrement valorisant, mais aussi des livres, de la musique, et des activités sportives qui changent sans arrêt. De tous temps, les livres ont été un loisir, un refuge, une source d'information. Des romans qui m'ont touchée, je retiens surtout *L'Insoutenable légèreté de l'être*, de M. Kundera, dont les observations sont d'une justesse incroyable; Steinbeck aussi, que je trouve très sensible à la beauté humaine; et bien d'autres.

Présentement, je suis dans une période particulièrement musicale. Mes loisirs en sont remplis; j'ai même dépoussiéré ma guitare. Chaque humeur et activité a sa musique, ou vice-versa: Debussy pour la paix intérieure; les *Variations Golberg* de Bach (jouées par Gould s.v.p.!) lorsque la neige tombe comme des plumes; *Les Notes inégales* ou *La Grande Fugue* au déjeuner; du chant grégorien à l'heure du bain-bulles; Claude Bolling pour les dimanches après-midi ensoleillés; Francis Cabrel ou Paul Simon pour chanter; et du reggae pour danser dans le salon!

Je suis urbaine un peu par la force des choses, un peu par déformation professionnelle. Mais dans mon cœur, j'hésite entre la mer et la forêt. De tous les sports que j'ai pratiqués, beaucoup m'ont rapprochée de l'une ou de l'autre. Entre autres les stages de voile au Centre Marin des Blanchons. Quelles vacances agréables! Du genre «pique-nique sur les îles du fleuve sur un voilier-tente», très sympathique, et l'an dernier du genre «croisière dans le brouillard du Saguenay sur un char d'assaut!». Cet hiver par contre je suis plutôt calme; je skie un peu (alpin) et je lis beaucoup. Mais dans l'été qui vient, il y a plein de promesses de cyclotourisme, de voile…, et peut-être de belles rencontres d'ici-là!

Chat sauvage, 27 ans, architecte

Claire

Bonjour! J'aimerais faire votre
connaissance en toute simplicité.
Je vous invite à lire ma lettre. Merci.
N.B.: Je ne fume pas et préférerais
un compagnon non fumeur.

Comment me décrire?

Je suis une jeune femme de 31 ans de la société québécoise. Je suis seule et je pense bien le rester toujours. Cependant, je crois aussi que je peux partager mes découvertes, mes pensées, mes joies, mes peines avec un être qui est, dans le fond, tout comme moi.

Je recherche la complétude avec l'univers autour de moi, avec les choses, avec les êtres. C'est cette raison qui m'amène à La Boîte à mots.

Sincèrement, je ne crois pas que la rencontre d'une homme-ami peut tout changer. Car «le bonheur est d'abord en soi». Mais... Oui, il y a un mais. Et je ne veux pas rester à attendre.

Maintenant, allons à ma description. Je suis une enseignante dans les disciplines maths-chimie-biologie. Je suis assez sportive. Ma forme physique est primordiale. J'adore les belles et bonnes choses. J'adore vivre. Cela m'apparait quelquefois contradictoire lorsque je regarde un peu autour de moi. Il y a tant de misères et de choses qui me déchirent le cœur. Mais, quand même, ne sommes-nous pas responsables de nous-mêmes?

Lorsque j'ai commencé à écrire ma lettre, je croyais bien faire plusieurs brouillons. Je n'y tiens plus. De toute façon, ce que l'on peut connaître de quelqu'un en deux ou trois pages est bien insuffisant. Je désire, bien sûr, laisser quelque chose d'agréable mais je veux surtout être moi. J'ai un tas de défauts que je suis bien en peine d'énumérer. Je crois que les défauts surgissent de situations bien précises.

J'aime à peu près tout ce que la société peut nous donner comme loisir (sauf les sports genre hockey). Mais je privilégie la lecture, le cinéma, la musique. Durant l'été, j'aime le soleil. Je mesure 5" 4" et pèse 115 lb. Mes yeux sont bruns et mes cheveux brun foncé.

Je crois que la vie m'a gâtée. J'ai eu des déceptions amoureuses (entre autres), mais aussi de belles amitiés. J'ai été enceinte et je n'ai pu garder l'enfant. Je ne pouvais envisager de l'avoir seule. J'aime quand même beaucoup les enfants. J'ai six neveux et nièces. J'ai une bonne famille autour de moi. Un travail intéressant. Et la vie continue.

Enfin, j'ai le goût de faire de nouvelles rencontres. Je suis sérieuse et pourquoi pas essayer!

Claire, 31 ans, enseignante aux adultes

Clair-obscur

*Grosse chevelure bouclée
yeux pers, traits délicats et rieurs, 5' 1"
mordue de littérature et d'échanges humains
femme de carrière, autonome.*

Deux photos jaunies

Pour me présenter, j'ai fouillé dans ma boîte de photos pour retracer une certaine image de moi qui me serait restée fidèle à travers les années.

J'ai été surprise d'y déceler des constances mais aussi des contradictions, comme une photo d'abord en blanc et noir sur le négatif, puis en noir et blanc après le fixatif.

D'abord, moi à quatre et douze ans sensiblement dans la même pose: un doigt dans la bouche et le regard inquiet, étonné, interrogateur. Que me veulent-ils, ces adultes, quel est leur code, comment être différente? Une inquiétude comme une question constante: quel est ce drôle de jeu que la vie?

Puis une seconde photo: moi à quinze ans en train de danser le rock and roll, pétante de vie, le poing fermé comme un défi.

Ces photos comme l'envers et l'endroit d'une même réalité, unifiés dans la personne de quarante ans que je suis devenue. Peu conventionnelle, je n'ai pas choisi le chemin de la majorité des femmes de ma génération. J'ai plutôt fonctionné par instinct, faisant des choix qui ne m'entraînaient pas nécessairement là où je l'avais espéré. Mariage à vingt-sept ans, naissance d'un enfant, divorce deux ans après, puis quatre ans de vie en célibataire; puis re-couple, re-enfant, re-séparation. Ces expériences dans l'amour m'ont laissée blessée bien sûr, mais riche en émotions, réflexions, approfondissement. Je me retrouve comme sur la première photo: un regard inquiet, pour le moins perplexe.

Pourtant à travers ce cheminement amoureux un peu tourmenté, voici la femme de carrière qui n'a jamais cessé de travailler, d'étudier, de se réaliser. En plus de mes responsabilités de chef de famille, j'enseigne à temps plein, j'entretiens ma vieille maison de campagne, je lis, je pratique quelques sports, je me passionne pour le cinéma, je découvre Montréal et j'écris. Femme de carrière autonome, déterminée, le poing tendu comme sur la seconde photo, qui fonce, s'acharne, réussit.

Qu'ai-je le temps de rencontres, de rapprochements? Bien peu. Pourtant...

Ce soir, dans ma maison de campagne, j'entends le vent (un peu moins fort que celui d'hier qui était le soir des élections), le feu qui crépite dans le petit poêle au salon et le silence calme du petit qui dort. Que le vent et le crépitement du feu, et il me vient un goût de partager, avec quelqu'un qui ne se sent pas obligé de remplir les silences, la plénitude de cette soirée.

Dans ma vie si organisée où je me sens tirée en avant comme un robot, monte en moi le désir d'un grand ami capable de comprendre, d'accepter ce que je suis sans exigence, j'en ai déjà trop.

Et puis l'adolescente pétante de vie est toujours présente, cherchant les surprises, les imprévus, les idées farfelues, sans protocole ni manière.

Bien sûr, j'aimerais rencontrer un homme qui a cheminé, qui a repensé les relations entre les hommes et les femmes, qui a le goût de partager ses découvertes sur la vie, un homme tendre et honnête de cœur. J'imagine de longues conversations autour d'une bière après le visionnement d'un film comme *Paris-Texas,* par exemple, expliquer le rapprochement spontané que j'ai fait avec le roman de Jacques Poulin, *Volkswagen Blues.* Ouvrir le roman — pourquoi pas? — en relire certains passages, s'étonner, vibrer, partager de semblables beautés. Comprendre. Rêver.

Pour le moment, je souhaite partager cet immense plaisir qu'est l'écriture avec un passionné de ce vice solitaire!

Au plaisir de te lire,

Clair-obscur, 41 ans, enseignante aux adultes

Coccinelle

Brune, délicate mais pas maigre. 5' 2", 105 lb.

Un goût de joie de vivre et de partage émerge avant l'hiver, une envie d'accueillir du nouveau dans ma vie. J'aimerais qu'un gars sain, pas un saint là, mais quelqu'un qui a fait un peu de ménage dans sa tête et ses émotions, donc un gars sain, doté d'un bonne dose d'humour, partage de bons moments avec moi. Je ne suis pas la fille la plus drôle en ville, mais il m'arrive de voir au-delà des événements et de trouver que bien peu de choses ne valent pas la peine d'en rire. Particulièrement pour nous, les «gras durs» de ce côté-ci de la planète.

J'éprouve un immense plaisir à échanger des idées, découvrir un autre univers que le mien, écouter; ce sont des passe-temps que j'affectionne. S'intéresser vraiment au discours d'un être humain révèle à mon avis une maturité et une conscience particulières. J'ai toujours un regain d'énergie lorsque je fais connaissance avec quelqu'un, c'est différent et unique à chaque fois.

J'accorde de l'importance à la recherche de plus de «conscience», la conscience de soi-même en premier lieu, puis la conscience du monde qui nous entoure. Cette recherche de lucidité et d'un plus grand équilibre est pour moi un objectif à atteindre. J'aspire à vivre une vie qui s'appuie sur des bases spirituelles.

La plupart du temps, je sais ce que je veux et, pour être honnête, encore plus souvent ce que je ne veux pas. Malgré mon humanisme, il m'arrive d'être un peu intolérante. Accepter l'autre tel qu'il est me semble être la seule façon de vivre une relation heureuse avec quelqu'un, mais c'est un défi à relever à chaque instant.

Le côté séduction dans une relation qui débute me dérange un peu. Je suis mal à l'aise dans un contexte où l'attirance physique joue un rôle important. Ce genre de communication par le texte me plaît bien. Séduire en dévoilant l'essentiel, laisser de côté «l'image», voilà qui est inhabituel et un peu excitant... Il serait faux de dire que l'apparence physique n'a aucune importance pour moi. J'apprécie qu'un gars se mette en valeur, j'essaie de faire de même moi aussi. Cependant, le parfum intérieur émanant d'une personne, ainsi que la complicité qu'il m'est possible de créer avec elle demeurent le plus important. Rire et développer des liens réels m'apportent du bonheur. Le côté superficiel de certains de nos contacts quotidiens me déplaît. J'accorde de l'importance à l'amitié, j'essaie de cultiver une qualité de relation avec les personnes que je choisis comme ami(e)s.

Je m'intéresse aux idées et à la spiritualité mais je ne suis pas coupée des plaisirs que la vie m'apporte, au contraire. J'aime les personnes sensuelles et je suis sensuelle. Le raffinement et la beauté me touchent profondément. Les environnements nouveaux me stimulent, les voyages aussi. J'aime briser mes habitudes de vie en faisant des activités nouvelles. Je suis attirée par ce qui est original et personnel.

Ma quiétude de célibataire a été très chambardée ces derniers mois par la venue d'une petite coquine âgée de deux ans maintenant. Je la regarde vivre avec fascination, je n'en reviens pas encore: pleine de charme, un feu d'artifice qui éclate à tout moment. Un copain ou un amoureux aimant les enfants serait donc mieux apprécié.

On me dit très autonome, indépendante même. La vérité c'est que je ne suis vraiment touchée qu'à partir du moment où je connais mieux une personne. J'ai besoin d'aimer et d'être aimée mais pas dans n'importe quelles conditions. J'aime mettre le temps pour apprivoiser et j'aime être apprivoisée.

Mon travail fait partie de mes priorités. C'est une occasion d'aller au-delà de moi-même, d'apprendre. Aussi, j'aime bien penser que je suis utile aux gens qui m'entourent. Jusqu'à présent, je n'ai jamais fait un travail qui ne m'intéressait pas. Ceci m'a demandé de faire certaines concessions parfois.

Je suis une cérébrale. Je dois souvent me pousser dans le dos pour entreprendre une activité physique mais lorsque j'y arrive, j'apprécie particulièrement le bien-être subtil que cela m'apporte. J'ai besoin de bouger mon corps pour me sentir en pleine forme intellectuelle et bien dans ma peau. Les activités communautaires m'attirent et je suis une habituée des bases de plein-air.

Quoi dire de plus? Les personnes qui m'intéressent ont des idées non traditionnelles par rapport aux relations de couple, elles sont personnelles et fières de l'affirmer. J'apprécie particulièrement la lucidité et l'honnêteté envers soi-même, c'est un bon départ pour mieux comprendre les autres. Autre point plus terre à terre, les buveurs et tripeux de boucane me font fuir.

Je m'arrête ici pour un premier appel à tous. Si tu veux en savoir plus, je t'inviterai à venir voir mon scrap-book un de ces soirs.

Coccinelle, 37 ans, directrice administrative
dans le secteur culturel

Cœur de lionne

Brune aux yeux bleus, 5' 10", 157 lb.
Les plus belles années sont à venir!

La solitude, ça va faire!

Ça fait plus d'une année entière que je vis seule avec mes deux enfants. Il est temps pour moi d'aller voir si l'herbe est verte ailleurs! Le boulot, les enfants, la maison c'est bien, c'est beau, mais c'est pas assez. Maintenant que la douleur est partie, que je suis retombée sur mes pattes comme un chat, j'ai besoin de la présence de quelqu'un.

Qui je suis? Une femme, voilà tout!

Une femme qui a besoin d'une paire de bras autour de ses épaules, d'une personne avec qui elle pourra parler de tout et de rien, avec qui elle pourra rire ou pleurer. J'ai eu à prendre ma vie en main, à jouer les femmes fortes. J'aime bien mon rôle mais c'est difficile parfois; la solitude, ça pèse!

Franche, je crois l'être. Très sensible aux belles choses. Un tantinet possessive. Avec un bon sens pratique, le système «D» (débrouillarde) cela me connaît.

J'ai besoin de redécouvrir la vie avec tout ce que cela comporte. Le boulot, la maison, les enfants, c'est beau, c'est bien, mais cela ne me suffit plus!

Les plus belles années sont à venir!

Cœur de lionne, 32 ans, superviseur d'entrepôt

Corne de brume

Corne de brume n'est plus (c'était l'année dernière).
Un arc-en-ciel est né!

Arc-en-ciel…
Parce que je suis
De toutes les couleurs
De toutes les arrivées
Et de tous les départs
Carrefour de pluies
Et de journées ensoleillées
Qui m'irise de toutes parts

Pauvre arc-en-ciel, il est parfois bien seul dans son ciel… J'en cherche un autre pour m'accompagner. Qui saura me trouver?

Je suis avocate et j'ai trente ans, 5' 8", 155 lb (puisqu'il le faut), cheveux châtains, yeux verts, toutes mes dents et aussi, poète à mes heures.

Mes amis me disent folle, généreuse, spontanée, chaleureuse, curieuse. Ils me connaissent entière, déterminée, responsable. Je suis également travaillante; je me donne à plein dans tout ce que j'entreprends. Une longue démarche personnelle m'a révélée à moi-même, qualités et défauts. Bref, je suis sortie du brouillard!

J'aime la vie passionnément pour tout ce qu'elle m'offre et a encore à m'offrir.

J'aime le rire: j'aime le rire de mes amis, j'aime les choses qui me font rire, j'aime le rire des enfants que j'aime par-dessus tout.

J'ai des goûts tellement variés que je ne peux tous ici les énumérer. Côté sport, cependant, je suis plus limitée: natation, planche à voile, bicyclette, ski de fond et ski alpin. Aspect culturel, tout m'attire et m'enchante: spectacles, lecture, cinéma, théâtre, musique, photographie, voyages, et il me faut m'arrêter, car j'en remplirais plusieurs pages…

Et voilà pour l'essentiel. Je cherche quelqu'un qui se découvrira mon pareil avec aussi des différences pour assaisonner nos rencontres.

Je cherche l'amitié, l'amour, le frère, l'ami, le père, l'amant, celui qui tiendra le rôle le plus important de ma vie, mais aussi le plus long… Et je promets d'être l'amitié, l'amour, la sœur, l'amie, la mère (faut pas être barré), l'amante, celle qui tiendra le rôle le plus important de ta vie et aussi le plus long…

N'ayant jamais été mariée, je cherche une relation neuve, faite d'inexpérience et de désir de stabilité, et c'est probablement là mon plus gros défaut…

Appel lancé

Au firmament tout entier.

Corne de brume, 30 ans, avocate

Dadou

Plutôt jolie, yeux verts, 5' 2", 125 lb.

Je me réinscris à La Boîte à mots parce que j'aime la formule, et aussi ça m'a permis de constater que mon premier texte ne reflétait pas exactement mes attentes.

Je suis divorcée depuis neuf ans. Je vis avec ma fille de treize ans. Depuis ce temps, je n'ai jamais revécu en couple. Éventuellement, j'aimerais partager ma vie avec un homme doux, compréhensif, sociable et sobre. Qu'il ait un ou deux enfants serait un atout. La famille serait complète. Autrement dit, je ne désire plus enfanter. Autonome financièrement, donc j'aspire à ce qu'il le soit. Précisons: je ne cherche pas un homme riche.

Je te transporte dans l'univers fictif d'un samedi.

Il est à peu près neuf heures, je suis réveillée; je sens ta présence près de moi. J'aime la chaleur de ton corps. Je reste immobile quelques instants près de toi. Tu passes ton bras autour de moi et tu m'embrasses, encore un peu endormi. Nous prenons le temps de nous étirer et de relaxer.

Le goût de prendre un bon café nous fait sortir du lit. Et le branle-bas dans la cuisine commence. Après que tout le monde ait déjeuné, nous prenons un deuxième café en jasant de nos projets pour la journée. «Allons-nous magasiner? Ou bien faire un tour chez Gilles ou Pierre? Ou préférerions-nous recevoir à la maison?»

Tu me dis que tu préférerais profiter de l'après-midi pour faire des choses autour de la maison et que ce serait agréable de recevoir ce soir.

L'idée me plaît. Chantal entre dans la cuisine et nous demande: «Qu'est-ce que nous faisons aujourd'hui?» Informée de nos projets, elle est bien contente d'avoir l'occasion de travailler avec toi. Éric, ton fils, nous rappelle son match de baseball à deux heures.

Les derniers préparatifs du souper sont en cours. La sonnette se fait entendre. Les enfants courent ouvrir et je crie à la ronde de venir me rejoindre dans la cuisine. Le rôti est prêt, tout le monde a faim. On jase, on prend un peu de vin et nous apprécions ce moment de détente.

Après avoir fait la vaisselle, je propose d'aller prendre une marche pour visiter les alentours. À notre arrivée, Denise nous demande si nous aimerions jouer aux cartes. On accepte. La soirée tire à sa fin. Gilles et Denise partent.

Je ramasse les verres et nettoie les cendriers. Comme on ne s'est pas vus beaucoup aujourd'hui tu me prends dans tes bras, je te dis que je t'aime.

C'est un rêve, je te laisse...

Termine ce rêve.

Dadou, 34 ans, contrôleur (dossiers et inventaires)

Éléinad

Je mesure 5' 2" — 5' 3" (je ne sais plus très bien). Taille moyenne,
120 lb. J'ai les yeux bleus, les cheveux châtains. Non fumeuse.
Aime les arts en général.

Bonjour toi,

Je crois bien que si j'avais à parler pour cette introduction, mes mots se heurteraient à quelques hésitations. Aussi, ai-je envie de ponctuer cette phrase de heu…, heu…, heu…, question de casser la glace! Voilà, c'est fait…, ou presque!

J'aurais pu cacher ma maladresse à débuter ce texte en commençant par une prose inspirée de ce qui m'entoure ou du temps qui enveloppe aujourd'hui la ville. J'apprécie la poésie et surtout j'aime écrire. Sans doute, cela aurait-il été plus facile mais j'ai préféré jouer franc jeu.

Enseignante, j'entreprendrai dans quelques semaines, ma deuxième (véritable) année d'enseignement. C'est là un travail que j'aime beaucoup mais qui laisse place à d'autres centres d'intérêt. Ces derniers (du moins l'un d'eux) m'ont amenée il y a cinq ans à interrompre mes études afin de voyager. C'est sac au dos que je suis partie à la découverte de l'Europe! Quatre mois qui se sont étirés pour devenir une année! Une année riche en découvertes, en émotions et en amitiés. Une année qui se manifeste encore dans mon présent car elle a façonné ou éveillé des choses en moi.

Bien sûr, cette aventure n'a fait qu'aiguiser mon goût des voyages. C'est ainsi qu'à la fin de mon baccalauréat (enseignement à l'enfance inadaptée à l'Université de Sherbrooke), j'ai quitté une fois de plus le Québec pour des paysages moins lointains cependant, soit ceux de la Baie des Chaleurs et du Nouveau-Brunswick. J'ai travaillé un an à Dalhousie dans une école secondaire à titre de monitrice de français langue maternelle. Étrangement, cette année m'a appris davantage sur la solitude que celle passée en Europe. Et pourtant que de choses j'en ai tirées. Je me suis retrouvée non pas monitrice mais enseignante auprès d'élèves en difficulté. C'était à prendre ou à laisser! Et puis je me suis retrouvée à la tête d'une troupe de théâtre. Cela a été vraiment formidable.

De retour à Montréal depuis bientôt deux ans, je me suis d'abord retrouvée enseignante à temps partiel (ou suppléante) et étudiante avant de décrocher un emploi plus stable en septembre dernier, ('86).

J'aime toujours autant les voyages que je fais maintenant lors des vacances scolaires. Je n'ai toujours pas réalisé mon désir de faire de courts voyages en vélo; j'admets manquer un peu de motivation devant la perspective d'enfourcher ma bicyclette seule. En effet... pas un seul de mes amis n'envisage de passer ainsi ses vacances.

J'aime assez le sport et sans me considérer comme une grande sportive, je juge appartenir à la bonne moyenne. Je privilégie la natation, la bicyclette, bien sûr, le conditionnement physique et le ski alpin, mais pratique d'autres sports occasionnellement.

J'ai une passion pour le théâtre, passion que malheureusement je ne nourris pas à ma guise puisque le théâtre se révèle souvent inaccessible à certains égards. Je compense par le cinéma et je deviens une affamée lorsque le Festival des films du monde remonte à la surface.

J'aime aussi beaucoup la lecture et si je lis plus souvent des documents pédagogiques, je profite de l'été pour satisfaire mon goût de romans, particulièrement les biographies ou les livres révélant beaucoup d'intensité humaine. *La détresse et l'enchantement* de Gabrielle Roy, *Les fous de Bassan* d'Anne Hébert, *L'Amant* de Marguerite Duras et *Les filles de Caleb* d'Arlette Cousture demeurent des livres qui m'ont beaucoup marquée. Je ne peux oublier les deux premiers tomes de la biographie déjà vieille de Simone de Beauvoir. Étrangement, il s'agit ici uniquement d'auteures. Mais je lis tout autant les auteurs masculins, ce qui m'amène à souligner la beauté de la dernière œuvre littéraire de Michel Tremblay, *Le Cœur découvert*.

J'aime la douceur et la sincérité qui se dégagent de ces œuvres. Sans doute parce que ce sont des qualités importantes à mes yeux. J'aime aussi l'intensité chez les gens. Je suis moi-même intense, je pense, du moins pour les choses auxquelles je crois. Je suis alors fébrile et enflammée. Également émotive.

Indépendante et autonome, je m'épanouis à travers ce que je vis et entreprends. Cependant un besoin de partage émerge, un besoin auquel j'aimerais répondre. Un besoin de respect aussi, et de complicité.

Mon travail me demandant un certain investissement de temps et d'énergie, je recherche une personne suffisamment autonome qui saura respecter cet aspect de ma vie.

J'aime rire, le fais facilement, et il serait agréable de connaître une personne qui a le sens de l'humour. Mais ce qui importe à mes yeux c'est qu'elle soit vraie; j'ai envie de connaître un homme avec qui il soit possible de parler librement, avec qui sera possible une ouverture mutuelle, une tendresse et… de la fantaisie.

Sans doute ai-je quelques critères physiques! J'aimerais bien connaître une personne plus grande que moi, de taille moyenne, avec un visage ouvert, des yeux brillants et un sourire facile.

La Boîte à mots, c'est comme une fleur dans l'aridité de la ville…, une fleur de macadam.

À bientôt,

Éléinad, 26 ans, enseignante

Élisa

Femme ordinaire, 5' 2", mince.
Tempérament doux, tranquille, aime le partage,
la tendresse, les enfants, les animaux.
Aimerait être en amour une deuxième fois.

Finalement...

Ça y est, finalement..., je me décide. Il y a un bout de temps déjà qu'on m'a parlé de La Boîte à mots. Je n'avais rien contre le principe, au contraire, je trouvais l'idée formidable... pour les autres. Pour moi? Impensable! Voyons donc! Me vois-tu, moi, dans un endroit pareil? En train de magasiner ouvertement un petit ami! Quelle idée farfelue, il n'en est pas question. C'était il y a quelques mois. Eh oui, ça me prend du temps.

Puis, un beau jour d'automne, je débarque à La Boîte..., juste pour voir, bien sûr! Et qu'est-ce que je trouve? Pas une pièce austère comme je l'avais imaginé mais un local chaleureux, feutré, invitant. Pas un endroit où on est questionné, évalué et catalogué mais où on est accueilli gentiment, informé du fonctionnement de la bibliothèque et invité à prendre notre temps. Cette ambiance m'a tellement plu que, finalement, j'ai eu envie de m'inscrire; mes craintes étaient envolées.

Pourquoi je cherche un ami? Eh bien, voilà. Je suis seule depuis cinq ans. Les débuts furent difficiles. Pas au sens pratique, je suis du genre plutôt autonome, mais parce que je vivais une grande peine d'amour. Je me retrouvais seule après dix ans de mariage. J'ai trouvé, à ce moment-là que la vie était bien dure avec moi, mais maintenant, avec le recul, et ma peine étant guérie, je me dis que j'ai eu dix années de bonheur, et je crois que j'en mérite encore autant, sinon plus. Après tout, je suis assez bien. Pas mal bien même! J'ai très bon caractère, je suis douce, tendre, et disons-le, très présentable.

J'attends d'une relation beaucoup de richesses, des trésors de tendresse, de délicatesse, de confiance, de partage, de liberté dans le couple. C'est possible, je le sais. Pour moi, l'amour n'est pas étouffant et comme je ne suis pas jalouse, je ne saurais vivre dans un climat d'appartenance à l'autre. Mais je ne suis pas volage pour autant. Bien au contraire, lorsque j'aime quelqu'un, je me donne entièrement, parce que je choisis de le faire. Je crois qu'une nouvelle relation, ça se commence en douceur (je ne crois pas au coup de foudre). On partage d'abord de petites choses et ensuite, si l'amour s'installe, on peut bâtir quelque chose de très grand.

Alors, si pour toi l'amour ressemble un peu à cela, je serais très heureuse de te connaître.

Élisa, 35 ans, secrétaire

Elsa

J'aime... j'aime... j'aime...

Aragon disait de son Elsa:

«forte et douce comme un vin
   pareille au soleil des fenêtres
   tu me rends la caresse d'être...»

Moi, je dirais de moi, que je suis forte et vulnérable. Vulnérable parce que sensible. Sensible à la beauté du monde mais aussi à l'horreur de notre monde. Je me dirais contradictoire dans mes attirances qui oscillent entre les fous et les sages. Tout comme j'oscille entre mon amour de la solitude et ma haine de la solitude (quand je ne la choisis pas).

Si je vous disais qui j'aime et ce que j'aime, vous pourriez, je pense, me deviner un peu..., si vous avez les mêmes penchants.

Alors, voici brièvement:

J'aime la tendresse d'Émile Ajar, la sensualité de Ferré, la folie de Van Gogh, la limpidité de Vigneault, la sérénité de Satie, la nostalgie de Tom Waits, le courage du Che et la sincérité d'Allende. J'admire la patience des femmes du Tiers-Monde, bien que je déteste la résignation.

J'aime le soleil chétif de nos hivers trop longs, l'arbre solitaire au milieu du champ, j'aime la mer que je n'ai pas vue assez souvent et mes enfants déjà devenus grands.

J'aime écrire, lire, rire, chanter et fêter. Parfois, j'aime parler. Souvent, j'aime écouter. J'adore qu'on m'apprenne des choses et surtout, qu'on me surprenne.

Quant à ce que je déteste, ce sera pour une autre fois...

Je ne cherche pas ma moitié manquante et «I am not looking for Mr. Goodbar». J'ai souvent constaté avec tristesse que beaucoup d'hommes avaient à offrir aux femmes beaucoup plus de place dans leur lit que dans leur vie.

Moi, ce que j'aimerais, c'est une belle complicité de tête et de cœur. Comme le Petit Prince, je cherche tout simplement un ami. Un ami pour se découvrir des intérêts communs et différents et pour partager le plaisir d'une soirée de cinéma, d'une bonne bouffe, d'une promenade à la campagne ou encore, juste pour le plaisir de s'écrire.

Pour la caresse d'être... en amitié.

Au plaisir de vous lire,

Elsa, 39 ans, rédactrice

P.S.: Quant à mon allure physique,
pour ceux qui tiennent absolument à une description,
j'ai 5' 2", les yeux bleus..., les cheveux châtains
et je me situe entre une Marylin Monroe et une Golda Meir.
À vous de juger par la suite...

Fédora

5' 2". 110 lb, assez jolie, pas une cover-girl.
Intérêts variés, humour, aimant beaucoup la vie,
simple, autonome, enjouée.
Bien sûr quelques défauts,
mais ne cherche pas à rencontrer
des gens parfaits non plus.
De temps à autre, à cause du hasard
et du peu de temps libre laissé par mes cours,
la solitude me pèse et je n'aime pas ça.
Toi non plus j'imagine, alors écris-moi!

Rencontrer par hasard

Un petit souffle de vent caressa Nicole, qui en frémit d'aise; mais simultanément cette même brise arracha un frisson à Diane qui boutonna fiévreusement sa veste rose et rouge, ourlée de noir.

— Merde, voilà déjà l'automne, maugréa-t-elle, va falloir sortir les vêtements d'hiver et partir la fournaise, quelle horreur!

— Oh, Diane, voyons, mais cette température nous rafraîchit vraiment après les chaleurs humides du mois passé, un contraste tellement agréable, comment peux-tu te plaindre?

Comme pour appuyer ses paroles, Nicole s'étala paresseusement sur sa chaise, faisant grincer dangereusement celle-ci.

Mon Dieu, ce que les gens peuvent vivre différemment les situations les plus banales, pensa Louise qui, quant à elle, s'en foutait bien de la température. Ses grands yeux bruns, toujours un peu anxieux, se baissèrent quelques instants, et l'expression enjouée de tout à l'heure fit place à un visage mi-sévère, mi-triste. Louise, plutôt jolie lorsqu'elle s'anime dans la conversation, perd beaucoup de son charme quand elle réfléchit.

— You-hou, Lou-ouise, encore absente? clama Diane d'un ton railleur. Toujours dans la lune, c'est pas comme ça que tu vas réussir à te trouver un mec!

— Je ne cherche pas un «mec», répondit l'inculpée, sur la défensive.

— Mais voyons, je blaguais, reprit Diane.

— Ouais, à part les blagues, les «mecs» et la température, avec vous autres, les conversations sont plutôt limitées, y a de quoi partir dans la lune, comme tu dis, riposta Louise dont l'alunissage en question, quelque peu forcé et brutal, avait altéré l'humeur.

— Holà! Louise!… Mollo… Je pense que tu deviens frustrée au maximum. Juste un petit orgasme quotidien et un homme qui s'occupe de toi, et ton caractère s'améliorerait de beaucoup, à mon avis. Ceci dit sans aucune méchanceté, ma chouette!

Un immense éclat de rire, comme seule Diane pouvait le faire, exagéré et singulièrement réjouissant, retentit à travers toute la terrasse. Malgré la grossièreté de la remarque, Louise fut rapidement contaminée par le caractère excessif de ces sonorités gutturales, et Nicole se mit aussi de la partie ce qui fit que la table 14 fut le centre de tous les regards du Dare-Dare. Cela ne pouvait que réjouir doublement Diane qui s'esclaffait de plus belle, larmoyant et tapant frénétiquement le bras de Nicole, tout rouge déjà…

La fête se poursuivit quatre bonnes minutes, puis tout se tassa, et l'atmosphère se prêta de nouveau aux confidences «féminines».

— À propos d'hommes justement, dit Nicole, comment ça va avec Pierre? La dernière fois, ça semblait assez tendu chez toi.

Diane replaça son toupet avant de regarder Nicole.

— Oh, l'atmosphère se calme peu à peu, mais j'en ai marre. Tu comprends, cinq ans avec la même personne, c'est long à la fin, on n'a plus rien à échanger; et pourtant on ne peut plus se passer de l'autre à cause de l'habitude et de la perte d'autonomie. On ne s'intéresse même plus soi-même et l'absence de l'autre, pour un seul week-end, nous panique! Scénario classique, quoi…

Louise, toute abasourdie par cette déclaration à l'emporte-pièce, ne put s'empêcher d'intervenir:

— Non, franchement Diane, moi je ne comprends pas. Cela a toujours été mon but, mon idéal: construire avec les années un couple stable. Passé le coup de foudre et les feux d'artifice du début, décider, en se réorientant, de continuer à cause des nombreux avantages mutuels: plaisirs complices de la tendresse, stabilité émotive, approfondissement d'une relation, niveau économique plus élevé et j'en passe... Les bons vieux «modèles» ne sont pas si bêtes que ça finalement.

— Oh, Louise, tu rêves en couleurs, coupa Nicole. Dans la réalité, c'est loin d'être aussi beau; souvent l'un profite de l'autre et les agressions mutuelles sont d'autant plus percutantes que l'ami connaît bien tes faiblesses. Seule, tu es bien plus libre; tu ne vis pas en fonction d'un autre; tu peux te réaliser pleinement, agir sans bâtons dans les roues, sans les responsabilités bêtes de s'occuper de quelqu'un. Tous les couples se séparent, sois réaliste voyons! Regarde autour de toi au lieu de contempler les nuages.

Cette fois Louise réagit assez violemment, se redressant sur sa chaise, les joues roses, les yeux en feu:

— C'est faux, j'en connais des couples heureux; avec des hauts et des bas bien sûr, mais qui restent ensemble parce qu'ils trouvent que ça en vaut la peine! Et ils n'ont pas fusionné, ils demeurent autonomes mais partagent leurs points communs. Ils ne sont apparemment pas nombreux, mais c'est évidemment un désir très répandu actuellement, et dans l'histoire, que de vivre à deux.

Encouragée par l'attention de ses copines, Louise exprima le fond de sa pensée:

— Et je crois que s'ils sont plus rares à réaliser leur désir, c'est plutôt dû au fait qu'avec le libéralisme actuel, la diversité d'expériences des gens, il devient difficile de rencontrer par hasard, dans un cours ou au travail, un partenaire potentiel avec qui on aurait suffisamment de terrains d'entente. Il faut qu'en plus l'attirance soit réciproque et qu'il soit disponible à ce moment-là. Ça prend un foutu hasard tu comprends? C'est la super-loto toute crachée!

Essoufflée par son envolée, Louise s'arrêta un peu!

— Ouais, t'as de drôles d'idées.

Nicole n'en revenait pas, Diane non plus d'ailleurs!

— Très idéaliste ma foi, une intello pur sang: toujours à tricoter de belles théories.

— Non, c'est pas des théories! C'est du vécu! Ça vient de mes expériences et de celles de gens assez proches de moi pour me confier leurs histoires, reprit Louise.

— Comme moi? Je te confie mes histoires, comme tu dis? interrogea Diane, le regard moqueur.

— Oui, comme toi justement, tu me fais de temps à autre cette marque de confiance.

— Sauf que tu oublies que mon expérience à moi, contredit ta théorie, puisque mon couple échoue..., renchérit Diane, souriant moins, tout d'un coup...

— Mais non, elle ne la contredit pas, au contraire puisque vous vous êtes rencontrés par hasard dans un bar, et que votre envoûtement l'un pour l'autre s'éteint graduellement. Si vous aviez été suffisamment motivés, plus convaincus de vos choix, vous auriez pu décider de continuer. La relation agonise peut-être d'un manque de soins appropriés.

— Oh, je ne sais pas trop, c'est ce qui devait arriver sans doute, répondit Diane.

— Personnellement reprit Louise, je trouve drôlement moche de rentrer en fin d'après-midi dans l'appartement vide et silencieux, de cuisiner et souper seule, de tout décider, tout exécuter, et je n'ai ni le temps, ni le goût des éphémères rencontres nocturnes.

— C'est vrai ça, approuva Nicole. Moi je ne veux pas m'attacher. Mais arriver seule au logement, c'est plate et je commence à me blaser des cruising bars, des petits jeux de séduction. Il me semble parfois que je manque quelque chose, même si je suis très libre après tout.

— Vous êtes déprimantes vous autres avec vos «manques», reprit Diane. Ce n'est pas le couple qui apporte la plénitude, ça c'est certain en tout cas. Alors quelle est ta solution Louise, qu'est-ce que tu vas faire, sauter en bas du pont?

— Ben non, j'aime ça vivre. Beaucoup même!

— Alors, prends-toi un chat, ça te désennuirait. Il miaulerait à ton arrivée.

— Non, je vais aller dans une agence de rencontres par l'écriture.

— Quoi... Louise? mais t'es folle ma parole! s'exclama Diane. C'est épais à mort! Ah, ah, ah! Une gang de pas beaux, de laissés pour compte. Tu n'y songes pas sérieusement?

— Je trouve que tu entretiens beaucoup de préjugés Diane. Oui, je suis sérieuse, avec beaucoup d'humour quand même, mais j'y crois.

Nicole qui s'était éloignée de quelques pouces, un peu gênée que ses amies discutent d'une solution aussi niaiseuse à son avis, demanda quand même:

— T'écris pas toi, Louise, il me semble. À moins que tu nous dissimules des talents?

— Non, mais... j'ai pas mal griffonné pour mes cours. J'aime beaucoup lire et de temps à autre, on dirait que ça me donne des pulsions pour écrire; alors, je vais m'essayer.

— Ouais, rétorqua Diane, j'sais pas trop quoi dire... Soyons positives. Essaie, tu verras bien; peut-être te découvriras-tu au moins un nouveau moyen d'expression. En tout cas, oublie pas de nous tenir au courant. Ça pique ma curiosité en sapristi cette histoire de rencontres par l'écriture.

Fédora, 30 ans, étudiante

Femme-Bélier

5' 3" 1/2 (Je tiens à la 1/2!), 124 lb, cheveux bruns bouclés (des «frisettes» naturelles que j'ai combattues longtemps..., mais que j'aime bien maintenant). Yeux très noirs. À quelques reprises on m'a demandé: «Est-ce qu'on t'a déjà dit que tu ressembles à Juliette Gréco?» Ouais..., peut-être... So much pour l'autoportrait! Le but de mon inscription? Je ne connais pas mes voisins (c'est le propre des grandes villes!). Je travaille à domicile et n'y rencontre que moi au hasard des miroirs! Je me suis dit: Flûte! Aux maux modernes... La Boîte à mots! P.S... Je fume encore!

Parler de moi... Je découvre que ça s'avère plus difficile que je ne l'aurais cru. Ça ne tient pas à de la fausse pudeur, mais plutôt au fait que j'ai l'impression, à chacun de mes nombreux essais, de me mettre en boîte, de ne fixer sur papier qu'une mince partie de moi... ou encore de m'épingler comme un pauvre papillon.

Tant pis..., je fonce..., en bon Bélier... J'aime le mouvement, les défis à relever, les problèmes à résoudre, la découverte et l'imprévu... Très peu pour moi, la routine, les horaires fixes ou le trop «prévisible»!

Je viens d'une famille plutôt bohème et tolérante qui m'a toujours encouragée à tout «essayer»: le dessin, la peinture, la danse, la couture, le théâtre, la popotte..., j'en passe et j'en oublie!

Pendant un très long moment, c'est la lecture qui m'a passionnée. Je dévorais tout ce qui me tombait sous la main. Faut peut-être voir ma bibliothèque pour s'en convaincre. Ça va de Bretécher et Gary Larson à Durrel et Sabatier en passant par les guides de voyage, l'ésotérisme, les biographies..., et encore une fois..., j'en passe.

Malgré..., ou peut-être..., grâce à tous les merveilleux écrivains que j'ai découverts, il y a quelques mois, j'ai décidé de me faire «vraiment» plaisir..., et de m'offrir le temps d'écrire!

Je n'ai jamais autant aimé la vie…, ma vie! Je n'ai d'horaires que ceux que je me crée et le rythme est le mien. J'en ai profité pour faire un «grand ménage» et me suis «délestée» de choses, de gens, d'obligations…

Maintenant, je fais des choix, plutôt que de me plier aux circonstances. Je n'éparpille plus mon énergie… Je la concentre sur ce qui m'est essentiel: la complicité avec ma fille…, l'écriture…, le ski alpin sous peu…, l'apprivoisement de ma nouvelle guitare…, un projet de boutique au printemps peut-être…, l'attention régulière et entière aux amitiés «vraies», celles que j'ai choisi de maintenir et cultiver…

Enfin ma vie me ressemble…, un peu «brouillon»…, à contre-courant…, souvent à la fois faite de souplesse et de solidité, de beaucoup de douceur et de fou rire!

Quoi encore? Je me lève toujours de bonne humeur. Je trouve que la vie est une belle aventure! Je «clique» généralement bien avec les gens, particulièrement avec ceux qui ont le sourire aux yeux et qui sont assez bien dans leur peau pour dire «simplement» ce qu'ils pensent «vraiment». J'aime aussi les gens qui savent «bien vivre» des moments de silence de temps à autre.

Et puis…, pêle-mêle…, j'aime danser, rire aux larmes, revoir plus d'une fois les films de Peter Sellers, faire de longues marches…, particulièrement les nuits de première neige…, l'été, cueillir d'énormes brassées de fleurs sauvages, partir en voyage au pied levé, cuisiner et parfois inventer de nouvelles recettes selon ce qui se trouve dans le frigo, passer des heures à table quand la conversation et le mood méritent chandelles et bon vin!

Par contre…, je me méfie… des collectionneurs, des «uniformes», de ceux qui portent des chaînes ou qui m'en offrent, de ceux aussi qui ont le regard «fuyant»…, de ceux enfin qui se cherchent une «béquille» et, ou, tentent de me mettre en cage…

Je n'aime pas tellement non plus les mots: «mon vécu», «dialoguer», «le partage», «la communication», «l'âme sœur»…, et j'en oublie… Je commence à les trouver quelque peu «galvaudés», ces jours-ci, on les retrouve à toutes les sauces… Ils en perdent toute saveur! Faudrait en inventer des nouveaux.

Bon, si je continue…, il y aura sept pages de *je*, *me*, *moi*…, c'est beaucoup, beaucoup trop! J'écris longuement (j'adore ça!) mais j'aime écouter longuement aussi!

Si… tu es libre… de préjugés, de vieilles attaches, de l'opinion des autres,

Si tu sais te moquer des petits travers de la vie…, et de toi-même à l'occasion,

Si… t'es bien dans ta peau et que t'as assez de simplicité pour te trouver l'fun!

Si… aussi…, bien sûr…, ton intuition te dit: «humm…, peut-être?»

Tant mieux!… Tu sais maintenant où me trouver!

Femme-Bélier, 41 ans, écrivain/compositrice

Feuilleté à la pomme

Taille: 1,66 m (de bas en haut)
Yeux: verts, brillants, lumineux, interrogateurs…
Poids: 9 X 6 kg. Cheveux: châtain clair, courts
Besoin d'échange avec homme de 30 à 36 ans.

Recette

Bonjour,

Pour entamer la description de ma modeste personne, je vais utiliser un texte écrit par une compagne de classe après la fin de mon bac à l'Université de Montréal.

FEUILLETÉ À LA POMME

Ingrédients principaux:

Une petite pomme fraîchement débarquée au Québec.
24 g de «r» bien roulés.
500 ml de sourire Pepsodent.
1 soupçon de rire irrégulier.
2 prunelles vertes interrogatrices et curieuses.

Préparation:

Chambrez pendant deux semaines cette petite pomme débarquée au Québec. Encouragez-la avec beaucoup de catalyseur verbal afin qu'elle conserve sa couleur locale. Faire attention! La quantité requise doit être conforme à celle mentionnée. En trop grande quantité, vous ne pourrez plus comprendre le résultat et trop peu vous fera penser à un banal plat québécois.

Ajoutez, sans craindre les mesures, le sourire Pepsodent qui n'est nulle autre chose qu'un nombre incalculable de dents blanches encadrées par une ouverture béante de type buccal.

Placez le mélange sur deux pieds plats.

J'ai retenu ce texte, non pour l'aspect symbolique qu'il peut représenter (méfiez-vous! un feuilleté d'outre-Atlantique ne se «consomme» pas facilement), mais surtout pour son contenu. Il m'a décrit il y a quelques années et il reflète encore aujourd'hui l'image que je projette: une personne épanouie qui a un profond souci d'altruisme, qui se sent bien en société, même si, depuis quelques mois, elle se sent seule en raison de son implication au travail et d'un manque de contact avec la gent masculine.

Pour compléter la description principale, je peux dire que je suis profondément «visuelle» c'est-à-dire que j'aime le cinéma, la photographie, la décoration intérieure, le design, les arts plastiques (je fais de l'aquarelle depuis trois ans), bref, tout ce qui peut alimenter l'appétit vorace de mes yeux verts, ces derniers ne se gênant pas, d'ailleurs, pour verser quelques larmes lorsqu'ils sont éblouis par quelque chose qui sait faire vibrer les cordes sensibles.

J'ai une profonde admiration pour les enfants et j'adore leur compagnie.

Au niveau des loisirs, je m'adonne au badminton l'automne, au ski de fond et à la peinture l'hiver, au tennis, à la bicyclette et aux travaux manuels l'été.

J'ai des défauts, comme tout le monde, mais je n'ai pas envie d'en faire mention ici. Les personnes qui m'entourent les découvrent assez rapidement.

J'ai contacté La Boîte à mots, car j'en ai assez de passer des soirées seule au cinéma, au théâtre, au restaurant ou chez moi. Sortir avec les amis, c'est bien, mais ils sont toujours en couple! J'ai besoin, comme un bon nombre de célibataires, de partager les impressions d'un film, les appréciations d'un bon restaurant, les joies d'une discussion, etc. Pour moi, une vie sereine et équilibrée n'est pas compatible avec le célibat. Une vie à deux est synonyme d'échange, de complicité, de franchise et de beaucoup d'humour.

Si vous avez envie de connaître la recette du «Feuilleté à la pomme», profitez-en maintenant, pendant que l'ingrédient principal se trouve au Québec!

Au plaisir de vous rencontrer,

Feuilleté à la pomme, 30 ans, ergothérapeute

Flanelle

Si j'écris à La Boîte à mots, c'est que les rencontres instantanées que l'on fait dans les bars et les discos, ne sont qu'«instantanées». Je travaille depuis trois ans comme pigiste, donc je n'ai pas vraiment de relations de travail, et j'ai quand même passé l'âge du «Prince charmant» qui vient nous enlever… et pour ce qui est d'être enlevée, ce n'est pas tellement mon genre.

Ce que je veux, c'est un homme de mon âge (ou le plus possible) avec qui partager des souvenirs d'enfance et de notre génération. J'aimerais aussi faire des voyages avec quelqu'un d'agréable et même éventuellement cohabiter. Dans un couple, j'aime que les choses évoluent dans la communication et non dans la peur. J'aimerais aussi avoir un enfant, mais pour cela j'ai encore le temps, je pense. Je voudrais tout cela sans laisser mon travail qui me passionne et me stimule dans tout le reste de ma vie.

Voilà ce que je veux.

Pour ce qui est de me décrire, c'est un peu plus difficile d'être objective. Mais je vais essayer. Je ne me considère pas comme sportive, mais j'aime tous les sports (voile, ski alpin, bicyclette, tennis, etc.). C'est que je ne suis pas compétitive, je fais cela pour le plaisir.

Je recherche une alimentation saine quoique je ne sois pas vraiment végétarienne. J'ai un tempérament plutôt réfléchi et j'aime les hommes qui le sont aussi. Mais je crois avoir quand même le sens de l'humour. Quand j'étais petite, j'étais timide, mais je me suis soignée. Je suis sociable; j'aime les soupers d'amis, les spectacles, et les arts.

Par contre, je n'aime pas les gens trop pleins d'eux-mêmes et peu communicatifs, les chats et la couleur rouge.

Pour ce qui est de mon travail, je suis styliste (mais n'aie pas peur je ne suis pas flyée). Je suis même plutôt classique.

J'aimerais un jour être à mon compte, et faire mes propres collections. Comme je le disais, cela me passionne, mais je ne suis pas compulsive dans mon travail. Je veux réussir mais j'ai aussi besoin de me reposer pour être créative. Je fais 5' 7"1/2, 120 lb. Cheveux blonds et yeux verts. Si cela t'intéresse...

Flanelle, 29 ans, styliste

P.S.: Ce qui m'a attirée à La Boîte à mots, c'est la vraie volonté des gens de se faire connaître tels qu'ils sont, et en sachant très bien ce qu'ils veulent. Je pense que c'est une formule très «créative».

Flash-dance

J'ai le goût de me raconter

Bonjour toi!

Aujourd'hui, j'ai envie de parler de moi, et c'est toi mon auditoire.

J'habite à la campagne depuis mon enfance, à 40 milles de Montréal, mais j'aime aller en ville régulièrement, soit par affaire ou pour voir mes amis. Je profite de la campagne pour faire du ski l'hiver et de la natation ou de la moto l'été.

Mes sorties sont assez diversifiées: un petit bar local où je connais tout le monde, une discothèque à l'occasion, un souper au restaurant, seule, j'aime ça.

J'ai un travail que j'adore. Je suis contremaîtresse-soudeuse. Tu dois te demander ce que ça fait de ses journées un grand titre comme ça. Eh bien, je fais de la soudure: en réparation, fabrication de prototype, machinerie lourde. Je partage les jobs à faire entre les soudeurs, je vois les clients, répare les outils, vois aux achats, en somme, je suis le trait d'union entre le P.D.G. et les employés. Ça fait six ans et demi maintenant et j'adore ça!

Un soudeur c'est grand, gros et fort, mais une soudeuse c'est 5' 7" avec 105 lb de muscles, très féminine et très à la mode avec un style très personnel. Oui, on me prend souvent pour une secrétaire ou un mannequin à l'occasion.

J'ai des passe-temps assez solitaires: j'aime travailler de mes mains (tricot, couture, céramique, vitraux, tissage, menuiserie) et la lecture humoristique.

En général, j'aime les gens simples, qui ont le sens de l'humour, qui ne veulent pas me changer…, qui acceptent mon «moi» féminin et féministe à l'occasion.

Non, non, non, je veux pas que mon histoire se termine par: ils se marièrent et eurent beaucoup d'enfants…, mais plutôt avec des amis qui font les mêmes trips que moi.

Flash-dance, 23 ans, contremaîtresse-soudeuse

Fleur

5"5", 125 lb. Bien faite, jolie (la chose importe?).
Cheveux bruns, grands yeux verts.

Il était une fleur solitaire dans un jardin oublié qui vivait doucement sa vie de fleur.

Cette fleur-là connaissait la tristesse et l'ennui mais elle possédait aussi ce sens de l'espoir qui fait la vie plus belle.

Elle enfonçait bravement ses racines dans une terre aride…, faute de mieux… Elle savait rêver. Elle savait attendre. Attendre des jours meilleurs, s'habiller le cœur, lisser ses pétales, fortifier ses racines malgré la terre mauvaise. Ce qu'elle ne trouvait pas à l'extérieur, elle le puisait à l'intérieur.

Cette fleur n'avait aucun doute. Un jour, elle trouverait un jardinier pour prendre soin d'elle. En retour, elle embellirait sa vie à lui, partagerait ses joies et ses peines, lui communiquerait douceur et tendresse, se tiendrait, forte de ses racines, à ses côtés lors des tempêtes.

Cette fleur n'est pas une herbe folle. Elle a pris temps et énergie pour devenir ce qu'elle est.

Te parler de moi…, te livrer gratuitement et simplement ce que je suis… Je suis une femme très douce et très forte à la fois, une femme qui a traversé des heures pénibles mais aussi de très beaux moments et qui se sent riche de tout ce bagage.

J'ai connu l'amour déjà, à travers les rires et les larmes. Et j'ai aimé l'amour. Ce merveilleux sentiment qui nous habite tellement, qui envahit le cœur et la tête. Je me souviens de cette sensation intense à l'arrivée de l'être aimé… Le cœur qui bat très fort…

Mon Dieu! Vivre encore ce grand bonheur, mais le laisser cette fois grandir doucement, devenir sage et constant, avec épisodes passionnés. Faut vivre avec sa nature!

Alors, parfois, le soir, quand je tricote mon ennui, je pense à tout ce que tu pourrais être pour moi et je me demande où tu peux bien te cacher…

Il y a si longtemps que mon cœur est désert.

Que te dirais-je de plus?

Je serais plutôt du genre «intellectuel».

Myope comme une taupe d'aimer trop les livres, je porte des verres de contact par coquetterie et, à l'occasion, de drôles de petites lunettes rondes. J'aime les beaux vêtements, les belles choses mais surtout le confort. Je m'entoure de couleurs douces et j'écoute de la douce musique. Mes «bibles» sont *Le Petit Prince* de Saint-Exupéry et *Illusions* de Richard Bach. Je les ai lus et relus et c'est peut-être ce qu'il y a de plus révélateur de ma personne. J'aime ces livres, vraiment! Très!

Ensuite?

Tu sais, je préfère quand même conserver un peu de mystère pour que tu puisses exercer tes talents d'explorateur!

Parlons un peu de toi.

Je veux surtout, avant toute chose, que tu sois beau dans ta tête et dans ton cœur. Je n'aime pas du tout les personnes cyniques. Je ne comprends pas la méchanceté gratuite.

Si tu possèdes un titre ronflant ou des gros sous, ne t'en fais pas avec ça. Ça ne m'impressionne pas du tout. Vois-tu, je suis autonome et gagne bien ma vie en exerçant une profession que j'aime... Je t'estimerai et te respecterai pour ce que tu es, pas pour ce que tu fais ou ce que tu as.

Je ne mange pas de ce pain-là.

On m'apprivoise par la tendresse, la gentillesse et l'humour.

Il faut que tu sois franc et droit, doux et affectueux. Je préférerais que tu n'aies pas plus de 37 ans.

J'apprécierais que tu aies vécu un peu, toi aussi, que tu sois calme et paisible et que tu n'aies rien contre le fait d'offrir des fleurs ou un Popsicle de temps en temps, juste pour faire plaisir!

Si tu as envie de me connaître...

Eh bien, ça me fera vraiment plaisir de recevoir ta lettre, tu sais...

Si tu corresponds à cette description, tu ne pourras être moins qu'un ami..., et — qui sait? — peut-être pourrais-tu devenir davantage?

J'ai joué franc jeu… Tu sais que je recherche un amour véritable mais je ne rejette pas les belles amitiés.

J'ai tout mon temps et je suis prête à investir mes sentiments et mes émotions dans la quête de l'être aimé.

Qui ne risque rien…

Alors, je jette un pont vers toi…

Fleur, 27 ans, infirmière

Oups! j'oubliais… P.S.: J'habite présentement
à 60 miles de Montréal (une heure d'auto).
Je songe toutefois sérieusement
à m'établir ici l'automne prochain.
Entre-temps, j'y viens régulièrement pour m'habituer
à la «Grande Ville». De bons amis m'hébergent
avec un cœur plus gros que leur appartement!
Je possède une vaillante petite voiture qui — faute d'avoir l'air
d'une corvette — ne craint pas les distances. (Honda, qu'elle est!)

Francine

Ah!... Je te vois dans ma boule de cristal.
Tu es le héros OOFF.
Lis mon texte dactylographié,
c'est plus personnel.

Personnage

Petite jeune femme brune, âgée de 32 ans, dynamique, intelligente, bien dans sa peau, racée, sens de l'humour et joie de vivre, recherche le profil masculin suivant:

En gros plan: il a un visage ouvert, des yeux intelligents et rieurs.

En plan pied: il se tient droit, il a une allure mince ou carrée; il fait entre 30 et 40 ans.

De profil: il ne fait pas de ventre et ses cheveux sont naturels.

En avant-plan: il a le sens de l'humour, la parole agréable, des gestes tendres et passionnés.

En arrière-plan: il est profond, passionné de ce qu'il fait, tendre, sincère, évolué, mature; il a le goût de relations saines, harmonieuses. Il est équilibré et surtout, il a fait la paix avec son passé.

Si l'on se trouve des affinités réelles, des émotions et des moments agréables à partager, peut-être jouerons-nous un rôle de premier plan dans la vie de l'autre.

Parfois, la vie réelle et le cinéma se confondent, je crois.

Francine, 32 ans, relationniste

Indigo

Je ne suis pas une Cendrillon (5' 7", 142 lb), donc Peter Pan s'abstenir.
Je suis Femme, adulte, saine, consciente, jeune d'allure, créatrice,
soupe au lait. Je souhaite un Homme, de mon âge (ou presque),
un complice de tendresse, de plaisirs. Il a connu des victoires,
des échecs. Il a grandi à travers ses expériences de vie
et maintenant il sait rire, pleurer, voyager, aimer.
Il est intelligent, simple et ne se croit pas parfait.

Wow! Quel défi, me suis-je dit, résumer 50 ans de vie en quelques pages. Savoir doser entre le «trop» et le «trop peu»… comme dans la vraie vie.

Et puis, j'y vais!

J'aime profondément la mer, la vie me chavirant de toutes parts. En ayant ras le bol, j'ai démissionné d'un poste de professionnelle et suis partie vivre dans les Iles-de-la-Madeleine, dans une maison tout près de la mer, en contact avec le vent, le sable, le sel, les grands espaces, le dépouillement. J'en ai profité pour faire le ménage de tout ce qui était «en trop» dans ma vie, celle-ci étant devenue compliquée.

Je l'ai simplifiée.

Chanceuse… je n'ai pas le mal de mer; j'ai appris la pêche; comme le plaisir de marcher sur les glaces, en mars, et aller y caresser les loups-marins.

J'ai contemplé les soleils du matin, vu le ciel bleu se confondre avec le bleu de la mer. J'ai connu la brume enveloppante et les couchers de soleil qui s'étirent à l'infini, les buttes aux courbes féminines.

Je sais la solitude.

Trois ans de vie dans la beauté, la transparence, la simplicité des gens des Iles.

J'en suis revenue, il y a un an…, de bonne humeur, énergisée, dédramatisée, ayant compris l'essentiel pour moi: que la vie est décidément trop sérieuse pour être prise si au sérieux.

Maintenant, je vis davantage les moments les uns après les autres; je ne travaille plus à temps plein; je l'ai fait assez longtemps; je me réalise comme pigiste, je choisis mes contrats; c'est plus insécure, mais ça me laisse du temps pour flâner et savourer.

Je suis financièrement autonome, je m'assume «seule» avec tout ce qui vient avec. Ceux qui le vivent savent de quoi je parle.

Affectivement, je ne suis pas en état d'urgence; je me repose d'une relation que je viens de terminer pour être disponible à une relation plus gérée.

J'ai des ami(e)s qui me sont précieux et je me sais précieuse pour eux.

Quatre enfants, maintenant autonomes, qui m'ont appris la patience, la générosité et les compromis de l'amour.

Tout au long de mon périple, il y a des victoires, des échecs, des aspirations, des détachements et des retrouvailles. J'en ai appris la tolérance et le respect.

Je suis un peu «sorcière» (bien contente qu'on ne les brûle plus), je fais le tarot-numérologie.

Très active, en mouvement, mes chums de gars et de filles me disent une belle femme. C'est vrai qu'ils me regardent avec les yeux de l'amitié... J'aime l'originalité dans les vêtements..., les tissus satinés.

Par quel type d'homme je suis attirée?
   — Un homme, pas un p'tit gars (j'en ai élevé trois, des garçons)
   — Un homme qui aime la vie
      qui se vit simplement
      qui a des goûts de voyages.
   — Un complice qui sait la tendresse
      qui rit... qui pleure
      et qui se trouve à l'aise dans une petite Renault 5, (Zoé), bleue comme la mer
      et... imparfait S.V.P.

J'en suis rendue là dans ma vie.

Indigo, 51 ans, pigiste en développement organisationnel

Laurence

But: si on commençait par régler le sort du monde? On verra après.

À-qui-de-droit,

Comment diable écrit-on ce genre de papier? Par quoi on commence? Est-ce qu'on fait un plan d'ensemble avant? Aussi, comment savoir exactement ce que je veux? Il m'arrive si souvent dans ma vie de faire exactement le contraire de ce que je prône à hauts cris.

Au départ, je dois d'abord dire que je ne crois pas avoir envie de me marier et encore moins de faire des enfants. N'ai pas envie non plus d'avoir un compte de banque commun.

Je suis habituée à vivre seule et ne vais pas vouloir déménager chez vous la semaine prochaine. J'aimerais autant que vous ne me fassiez pas non plus le coup «des sacs verts».

J'ai été indépendante toute ma vie et j'aime ça. Cela fait que je suis un peu rebelle aux modèles tout faits. J'ai peur aussi. Malgré mes fanfaronnades.

Bon. Je plonge: 41 ans, une tignasse rousse, des yeux verts, un nez trop gros. Je ris beaucoup et fort. J'habite le Plateau comme tout le monde. Ne suis pas sportive pour deux cennes, mais en me prenant par le bon bord, il y a moyen de négocier une ballade en ski de fond. Ça vous coûtera un manteau de vison.

Mon expertise se situe plus au niveau de «faire la toast» qu'en natation. Curieusement, les sportifs ne me rebutent pas. Au contraire. D'habitude, ils sont beaux et musclés. À moins que ce ne soient des enragés qui courent le Marathon de Montréal et qui tiennent absolument à ce que je fasse pareil.

Je crois avoir un peu de ce qu'on appelle «de l'esprit». Pas tant que Mafalda, mais on fait ce qu'on peut.

5' 3", 110 lb. Mince.

J'adore le cinéma.

Célibataire. Pas d'enfant. Un peu voyagé. Travaille en administration pour un ministère québécois. Suis dotée d'une conscience sociale très aiguisée. Déteste autant voir quelqu'un jeter son sac de chips vide sur le trottoir que quelqu'un qui a voté «Non» au Référendum (il doit être bien puni maintenant, hein?). Ne fume plus depuis un an. Sans raison. N'ai pas envie de fusiller les fumeurs pour autant.

Ne suis pas une beauté fatale, mais ai ce qu'on appelle «de la gueule», je crois. Non, je n'ai pas la tête si enflée que ça.

J'aime Charlevoix et l'odeur du varech. J'aime mes ami(e)s. Beaucoup. Les discothèques ne m'attirent pas. Ni le heavy métal. J'aime plutôt Yves Montand, Julien Clerc et… Diane Dufresne.

Déteste les mensonges et la mauvaise foi. Les courailleux du jupons aussi. Moi qui trippait sur Gary Hart…

Qu'est-ce qui me conviendrait d'après vous? Québécois, à peu près 40-45 ans? L'idéal serait de trouver un égyptologue ou un archéologue. J'adorerais aller faire des fouilles en Irak ou ailleurs. Ça doit être difficile à trouver ça. Alors quoi? Avocat, ingénieur, architecte? J'ai beau me croire très à gauche, il n'en reste pas moins que je fais partie de la petite-bourgeoisie-décapante. J'ai pas grand imagination en ce qui concerne les professions masculines. Quelqu'un qui a fait son bon vieux cours classique, quoi! Et qui pourrait me traduire les citations grecques et latines qui constituent le discours de quelques pédants que je connais.

Y en a pas un de vous qui ressemblerait physiquement à Pierre Nadeau ou Michael Douglas? Intellectuellement et moralement, à Nadeau aussi. Douglas, l'Écho-Vedettes ne le disait pas. Je voudrais pouvoir dire, comme dans certains textes que j'ai lus, que le physique ne compte pas, mais je mentirais. Ça compte. Désolée.

Aussi, sens de l'humour indispensable, bonne humeur (même quand je ne le serai pas). Qui aime son travail. Esprit vif. Sociable. Que le sort du monde intéresse.

Voilà.

Il y aura forcément un peu d'exagération dans tout cela. Des omissions aussi. On essaie de plaire n'est-ce pas? On en cache et/ou améliore des petits bouts.

On termine ça en rigolant?

«Elle est partie — enfin!
Enfin, me voilà seul.
C'était, depuis bien des années, mon rêve.
Je vais donc enfin vivre seul!
Et déjà je me demande avec qui.»
                    Sacha Guitry

Laurence, 41 ans, administration

Libellule

En ville (Montréal)

Ouach! Une jeunette. Détrompez-vous, chers hommes! Vingt et un ans, c'est jeune d'âge mais non d'esprit...

Voici un bref aperçu de mon «court passé» qui vous fera changer d'avis sur ma personne.

Voyons voir! C'était vers l'âge de cinq ans que j'ai... Mais non, je n'irai pas jusqu'à mon âge de pierre (ahem!). Je vais plutôt commencer mon «court passé» il y a, bientôt, quatre ans.

Jusqu'à l'âge de 17 ans, j'avais toujours vécu en campagne (la vraie). Mais me voilà, à 17 ans, secondaire V terminé, rendue à déterminer quoi faire de ma vie. Chose certaine, il me fallait déménager «en ville» pour pouvoir faire quelque chose de bien et pour avoir aussi plusieurs choix de carrière.

Donc à 17 ans, ne connaissant rien de la ville, sauf la station Berri-de Montigny, me voilà rendue dans un monde très pressé et robotisé. «Ah, ces Montréalais qu'ils sont donc pressés et stressants à voir», que je me répétais sans cesse. Même ces paroles n'ont pu m'empêcher de déménager «en ville» (pour me bâtir une nouvelle vie) dans un 2 1/2 sous-sol, style «coqueron» (vous voyez le genre). Pour moi un 2 1/2, c'était la prison — habituée dans une très grande maison, beaucoup de fenêtres, etc. Mais aujourd'hui, plusieurs choses ont changé... plus de 2 1/2, et Montréal, j'aime bien.

Alors, après bientôt quatre ans «en ville», ma jeunesse de 21 ans... connais pas!

J'ai voulu vous faire découvrir un peu de moi-même pour ne pas être seulement une page tournée.

Je suis seule et La Boîte à mots m'a donné un regain énergique de pouvoir avoir la chance d'écrire et d'échanger des idées, des pensées, des joies et des peines avec quelqu'un. Je suis une fille avec un bon sens de l'humour, le visage presque toujours souriant. J'aime rigoler et lâcher mon fou (ou ma folle!) de temps en temps. Je suis une très grande fan de la nature... naturellement!

Après deux ans et demi de coexistence avec un homme, j'ai dû prendre un break d'un an et demi pour me retrouver (expérience assez pénible). Mais voilà que j'ai le goût d'écrire et de découvrir une personne avec laquelle je pourrais avoir des liens amicaux-amoureux...

Alors, si tu as le goût de m'écrire et d'en savoir plus long, n'hésite pas à le faire et je serai très heureuse de te répondre. J'ai hâte d'avoir de tes nouvelles!

Salut!

Libellule, 21 ans, assistante,
ventes de commerciaux

Licorne

Mince, plutôt petite, dynamique.
La tête pleine de projets, amoureuse de la vie.
Je savoure le moment présent.
Je vais de découverte en découverte.
Je suis jeune d'allure et de cœur.

Moi

Si j'étais un animal, je serais une licorne.
Si j'étais un arbre, je serais un bouleau.
Si j'étais une saison, je serais l'automne.
Si j'étais une musique, je serais la sonate en fa de Mozart K. 331.
Si j'étais une couleur, je serais le violet.
Si j'étais un oiseau, je serais un colibri.
Si j'étais un objet, je serais un cerf-volant.
Si j'étais un paysage, je serais une falaise au bord de la mer.
Si j'étais un personnage de l'histoire, je serais Jeanne-d'Arc.
Si j'étais un personnage de roman, je serais Lady Chatterley.
Si j'étais un personnage de bande dessinée, je serais Mafalda.
Si j'étais un parfum, je serais L'air du temps.
Si j'étais un homme… non, je préfère être une femme.

Licorne, 52 ans, communication à mon compte

Loulou

Allô, allô...

À l'eau, j'ai l'impression de plonger! Comme c'est difficile de parler de soi à un inconnu, à quelqu'un qu'on ne voit pas, qu'on a peine à s'imaginer, moi qui suis une visuelle pure laine. Bon, voilà, première caractéristique: je suis visuelle. Une image vaut mille mots.

Je vais te dire pourquoi je suis ici à La Boîte à mots. Sûrement pas parce que je suis une épistolière ou que je m'amuse à écrire pour écrire.

Cet été, j'ai pris conscience que la solitude me pesait. J'ai le goût de partager plus intimement avec quelqu'un, retrouver une complicité, un quelqu'un qu'on a tellement hâte de retrouver.

J'ai laissé mon ami en mars dernier et je me suis jetée à corps perdu dans le travail. C'était facile!... je travaille comme conseillère en immobilier. Travail passionnant mais qui me prend beaucoup de mon temps, en tout cas le temps que je décide d'y consacrer. Je ressens le besoin très fort d'harmoniser un peu plus ma vie: moins de travail, plus de loisirs, et surtout, combler mes besoins affectifs.

J'aime beaucoup la nature, les randonnées pédestres, le camping, la natation. C'est le genre de sorties que je préfère. En ville, c'est le cinéma et les soupers au restaurant. J'aime jaser avec des amis, en petit groupe. Je n'aime pas les gros partys, les rencontres où il y a beaucoup de monde, parce que j'ai toujours l'impression de parler de la pluie et du beau temps, de rester en surface. Au fond, je privilégie l'intimité.

Je pense avoir un caractère assez fort, mais par contre je suis capable de beaucoup de compromis. Je suis souple et je m'adapte facilement aux gens et aux situations.

J'aime les hommes forts et fonceurs, mais pas les genres «speedy» et «grande gueule». J'en rencontre beaucoup comme ça chez les agents d'immeuble et ça me déplaît souverainement! Un gars qui est franc, direct et sensible, j'aime ça, et surtout qui sait écouter. Moi, je suis une bonne écoutante, alors ça doit se partager. J'aime bien aussi les hommes grands, moi je mesure 5' 8"... J'aurais pu faire une hôtesse de l'air ou une secrétaire!... comme dit la Dufresne, mais j'ai fait une infirmière.

19 ans comme infirmière
dans le communautaire
avant de changer de carrière.
Il faut le faire!…

Un mariage qui a duré neuf ans et qui m'a laissé un fils de 12 ans, magnifique, adorable, brillant, plus discipliné que sa mère qui a tendance à être bohème. Je devrais peut-être mettre plus de plomb dans ma cervelle que de «cuivre» dans mes cheveux!…

J'aime la vie et le monde.

Et la vie me gâte.

De quoi j'ai l'air? Continue…

Tête bouclée, très bouclée, un peu cuivre (seul mon coiffeur le sait alors faut pas le dire, tu es le seul à le savoir!).

Je suis grande, ça je l'ai déjà dit.

Belle femme, à ce qu'on me dit, je le pense aussi.

J'ai l'air de 34 ans, j'en ai 42.

Suis très fière de mon âge, il y a de la sagesse qui s'installe et c'est tellement bon. Et si je te dis que je me sens plus jeune et plus dynamique qu'à 21 ans, et surtout, tellement mieux dans ma peau…

Bon bien là, je suis déjà tannée de parler toute seule, peut-être que je pourrais continuer avec toi.

À la prochaine!

Loulou, 42 ans, conseillère en immobilier

P.S.: «Loulou, oublie pas ta mini.»
J'aime bien cette annonce publicitaire
parce que ça me ramène à mon enfance…
On m'appelait Loulou et j'aimais tellement ça!

Ludion curieux

But: revenue de bien des choses,
j'ai le goût d'y retourner. Confiance!
Portrait: une tête brune, deux yeux noisette,
deux pieds, le tout, 5'6".
Note: ne pas prendre le mot ludion
au sens métaphorique.

Boulevard des rêves programmés

L'escale a assez duré! Découragée par mes randonnées intermittentes dans les bars où mes radars tombent en panne (vu l'obscurité, la cacophonie, la boucane et la concupiscence primaire), voici que je me surprends à lire certaines petites annonces. D'abord superficiellement, d'un œil amusé et distrait, puis avec une attention plus soutenue et plus critique. J'en suis à lire entre les lignes…

Ces maigres lignes ne sont que des miroirs sans tain et j'imagine que c'est toujours autre chose qui est raconté.

Mission impossible? Allons-y: naviguons sur la surface des mots que nous tâcherons de rendre transparents, sans tomber dans les complaisances narcissiques et la sèche carte d'identité.

Je suis grande et mince, à mi-chemin entre la beauté fatale et le laideron. Lucide, honnête, franche, l'esprit un peu critique (sans méchanceté aucune: je sais me mettre un pavé sur la langue).

Paisible et gaie tout en ayant la gravité des êtres qui ont le sens des bonheurs éphémères et des amitiés durables.

Bien dans ma peau, je fuis les complications kafkaïennes. Je ne crains pas la solitude bien qu'elle ait parfois un goût de tonique amer.

Sociable, indépendante et tenant à rester libre, quand ce ne serait que pour changer d'«esclavage».

Un tantinet méfiante…

Je crois à de grandes îles d'amour, où à chaque fois «il» est l'unique et moi avec. Pour le plus longtemps possible mais peut-être simplement pour un moment privilégié. Mon but n'est pas de me fondre dans l'autre, mais de discerner ce qu'il est vraiment et d'apprendre à voir et à respecter ce qu'il est vraiment, fût-il mon contraire.

Passe-temps: lecture, cinéma, scrabble, jardinage, bricolage, savourer un bon repas modérément arrosé. Voyager.

Et pour descendre la pente en montant: bicyclette, natation, randonnée pédestre, camping.

Passe-temps numéro deux:

Deux enfants, gentils et vivants. Une fille et un garçon dont j'ai la garde partagée avec le père. Ils n'ont donc pas besoin de substitut paternel.

Je me contente facilement. L'amour, cette chose rare, quand il survient, est un présent merveilleux, un miracle, une chaude douceur mais je ne compte pas automatiquement sur lui pour soleiller.

J'aimerais me sentir bien avec quelqu'un de: gentil, affectueux, sensuel, pas trop envahissant, intellectuel (facultatif), débrouillard, sérieux avec le sens de l'humour, positif, sociable, ouvert aux enfants. Si possible entre 30 et 40 ans et non fumeur.

Et si l'amour n'est pas possible, j'apprécie les joies des complicités de l'amitié.

Ludion curieux, 35 ans, professeur

Lune d'automne

De lune d'automne

J'aime…
la clarté de midi des jours d'automne…
la luminosité du soleil sur les feuillages rougissants…
les clairs de lune sur les paysages d'hiver…

Cette introduction traduit un peu mon amour de la nature et de l'air frais de la campagne; j'en dirai plus un peu plus loin.

Il est difficile de traduire dans des mots une démarche, un projet de vie, surtout lorsque l'on s'adresse à des inconnus pour qui les mêmes mots recouvrent souvent d'autres réalités.

Je pense que c'est principalement dans l'action, en partageant des tâches ou des loisirs communs que l'on arrive le mieux à découvrir une personne et à se laisser connaître à son tour. Comme les milieux où j'évolue — les services sociaux, les milieux de santé holistique et de médecines douces — sont fréquentés en grande majorité par des femmes, j'ai peu l'occasion d'y rencontrer et de travailler avec des hommes de ma classe d'âge ou s'en rapprochant.

Une brève présentation:

Actuellement mes énergies sont principalement canalisées dans un travail à temps partiel dans le domaine des services. J'interviens aussi au niveau des approches en santé holistique et je continue à me former dans ce domaine. Je pratique le Tai Chi comme moyen de centrement et d'harmonisation de mes énergies.

Je vis seule, entourée de bon(ne)s ami(e)s de longue date et de beaucoup de «connaissances». J'ai eu différentes relations avec des amis et j'ai vécu six ans avec un compagnon, père d'une fille.

Au plan loisirs: j'affectionne les randonnées pédestres, le ski de fond, la bicyclette. L'été, je cultive un jardin «biologique», j'adore cueillir des fleurs sauvages, des petits fruits, etc. La musique et la lecture sont aussi des occasions de détente et de ressourcement. J'aime partager la préparation et la dégustation d'un bon repas; je suis végétarienne, sans dogme, avec souplesse et respect de chaque démarche alimentaire.

Quelques traits de caractère:

Mon signe astral: Balance, ascendant Bélier. Je suis très affectueuse et je m'implique beaucoup dans mes relations. Assez active, habituellement optimiste et enthousiaste dans mes projets. J'apprécie des moments de solitude et un espace physique bien personnel.

Au physique: 5' 7", 125 lb. Je suis en pleine forme et j'ai une santé excellente. Très heureuse dans ma peau et fière de mes 53 ans. Il paraît que je fais plus jeune que la majorité des gens de mon âge!

À cette étape de ma recherche et de mon cheminement, je désirerais partager certains projets avec un compagnon qui a des intérêts semblables aux miens. Je crois aussi en la richesse des différences…, pouvoir apprendre de l'autre et lui communiquer des expériences.

Je souhaiterais aussi donner et recevoir de l'affection et de la tendresse, développer une amitié si possible et…, si cela vient, une relation amoureuse, mais ce n'est pas mon premier but.

Avant tout, je voudrais vivre une relation libérante, où l'on se sent libre d'évoluer dans sa ligne tout en respectant le cheminement de l'autre.

Voilà, chère Boîte à mots
ce que je te confie aujourd'hui
si quelqu'un de tes visiteurs
se sent rejoint par ce message
il me fera plaisir de recevoir
un mot de sa part… sait-on jamais!

Lune d'automne, 53 ans, service social

Main gauche

Je suis allée au fond de moi-même et ce que j'ai vu m'a fait sourire.
J'ai envie de vous montrer.
Pour l'emballage, tous les goûts sont dans la nature!
Brune aux yeux bruns, 5' 6", 135 lb, jolie (enfin!…), surtout féminine.
But: Cherche main droite…

Tête de pioche

Je vous écris de la main gauche (je suis et j'ai été tête de pioche). Non, je n'aurai pas la crampe de l'écrivain. C'est vraiment très bien de s'écrire; on se dévoile sans gêne ni fausse pudeur. Et dire qu'on me lira aussi! L'ennui, c'est que j'ai beaucoup de choses à dire, j'ai la pensée très bavarde. Des choses que je ne dis pas très souvent.

Eh oui! Je suis un autre cœur solitaire, mais je ne suis pas seule, je me tiens compagnie… en attendant!

Je suis ce que mes amis appellent «ben trop heavy», i.e., ce que je fais se fait généralement avec beaucoup d'intensité et je ne vivrais pas autrement. Je suis très vivante; j'aime la vie et les gens vivants. (Parenthèse: je trouve bien ennuyant ce *je* qui revient tout le temps.)

Le chemin de l'amour est long et tortueux; il n'y a pas si longtemps, je ne savais pas très bien ce que j'étais et ce que je voulais. J'ai finalement appris à me regarder comme j'étais. Tout compte fait, j'ai découvert que j'étais donc ben belle!

C'est vrai, est ben fine c'te fille-là, pis a marche toute seule en plus!

C'est bien de délirer comme ça. Ça décrispe, vous croyez pas? Quand je me moque aussi gentiment de moi-même et de mes petits malheurs, je trouve que la vie est beaucoup plus simple que je croyais. Ce qui vient ensuite est la conséquence logique de l'acceptation de soi. C'est la recherche de l'âme sœur, le «soul mate» de Richard Bach, l'alter ego de la femme-tendresse.

C'est le chemin long et tortueux pour apprivoiser l'autre. C'est le choc de la découverte du miroir de notre âme. Je crois qu'on ne peut parvenir à cette découverte qu'à travers un grand moment de solitude. Afin de trouver des réponses à certaines de nos questions. Pour le reste, c'est peut-être le miroir qui pourra y répondre.

Se dévoiler par l'écriture, c'est très sincère, ça vient du cœur. C'est comme offrir un cadeau au miroir qui nous attend quelque part. Ce qui est bien avec ce genre de cadeau, c'est que vous n'avez pas tant à vous soucier de l'emballage et des rubans, c'est l'intérieur qui devient essentiel.

C'est un monde cruel qui juge les hommes et les bêtes d'après leur emballage ou la forme de leurs oreilles, ou la couleur de leurs cheveux, ou encore leur signe astral (en passant, si malgré tout ce détail vous intéresse, je suis Cancer (juin) et Serpent (1953) — ssssss — ça vous fait peur?).

J'ai envie de partager. De vivre avec quelqu'un une relation d'amitié, de confiance, de complicité, de rires et d'émotions. J'ai envie d'être authentique avec quelqu'un d'authentique. Pas de faux-fuyant, ni de mensonge. Je ne mens jamais, même pour éviter de la peine à quelqu'un.

Même la banalité peut être intense et authentique, et ce serait vraiment merveilleux de vivre le banal et le quotidien avec quelqu'un de vraiment très sincère. Vous ne me croyez pas? Vous riez? Observez les gens qui font leur épicerie le samedi après-midi. Encore sceptique? Fermez les yeux (après avoir lu, voyons!).

Imaginez la fin d'une semaine où tout est allé plus ou moins comme vous le vouliez. Maintenant, vous partez en week-end, à la campagne ou la montagne. Vous marchez seul, vous vous reposez. Maintenant, refaites le même rêve, mais avec une jeune femme pour qui la semaine s'est passée plus ou moins comme elle le voulait. Vous (deux) partez ensemble pour le week-end, vous faites ensemble l'épicerie, vous laissez ensemble le chat chez la voisine, vous bouffez ensemble vos croissants au beurre, vous dites, à voix haute: «Chérie, passe-moi la confiture», vous vous claquez mutuellement les maringouins dans le dos... Mon Dieu, mon Dieu, jusqu'où vais-je encore rêver?

Vous connaissez le dicton: cœur qui soupire n'a pas ce qu'il désire! Eh bien, je soupire, je soupire... Si ça continue, je vais partir en mongolfière!

Bon, j'ai assez divagué, ça m'a bien soulagée!

Il ne faudrait tout de même pas croire que la vie et les gens me font rigoler à ce point. Bien au contraire. J'ai pris la plume aujourd'hui pour vous dire que je suis là. Que je suis bien, dans tous les sens du mot. Que j'aimerais toucher de ma plume quelqu'un de bien, dans tous les sens du mot.

Ceci pourrait bien être un avis de recherche, non? Un peu comme ça: Recherche homme, très homme, très humain, âme douce et sensible exigée. Généreux de cœur et curieux d'esprit. Comique, cocasse, rieur, moqueur, taquin et tout qualificatif du même genre très souhaité. Ceci dit, homme honnête, sincère et sérieux seulement, i.e., très intelligent. Homme brave, pas peureux (pour belle squaw pas trop sauvage). Pas peur des femmes en général ni de moi en particulier. (Désolée, mais comment pourrais-je essayer de communiquer avec quelqu'un qui se sauve tout le temps — moi cours pas marathon!)

Recherche homme capable de décider ce qu'il veut pour souper, mais capable aussi d'hésiter entre Miss Mew et Puss'n Boots pour minou. Un homme en pleine possession de toutes ses facultés, mais encore capable de douter de lui-même et de se remettre en question.

Un homme qui n'a pas peur de se rendre ridicule auprès d'une femme. Un homme qui soupire autant que moi. Ça ferait un beau voyage en mongolfière, hein! On pourrait aller loin! Moi, ça me tente.

Je suis allée au fond de moi. Ce que j'ai vu m'a fait sourire. C'est comme quand on reçoit un cadeau. L'emballage attire bien l'œil, mais ce qui fait sourire, c'est ce qu'on découvre à l'intérieur. Je suis allée à l'intérieur. J'étais là et je t'ai vu aussi.

Prends ta plume et tes mots, et offre-moi un cadeau.

Main gauche, 33 ans, bureautique

Maison de campagne

Je m'appelle Maison de campagne. Afin que tu ne m'imagines pas grosse, en pierre et avec des lucarnes dans le front, je t'emmène me visiter.

D'abord, la façade:

Je fais 5' 3" 1/2, 115 lb et porte mes cheveux longs. Pas encore assez vieille pour être classée monument historique, je suis assez bien conservée. Tu peux apercevoir une cheminée car je fume. Je me considère très féminine. Réservée, j'ai le sourire facile et l'humeur égale.

Tu n'es pas obligé de ressembler à cet homme grand, viril et intelligent, âgé entre 37 et 45 ans, mais il faudra me pardonner si je me retourne sur son passage.

Comme on me dit accueillante et chaleureuse, je crois qu'il est temps de t'ouvrir la porte pour te parler de mon intérieur. J'ai eu la vie assez difficile mais parsemée de petits bonheurs. Si j'écris aujourd'hui, c'est que la solitude et ma force naturelle m'ont appris à connaître mes limites, à devenir autonome et à m'aimer. Donc, je n'ai pas besoin de quelqu'un pour combler un vide, mais bien pour partager affinités et intimité ainsi que pour communiquer physiquement et moralement.

Vestibule:

Je suis Taureau ascendant Cancer. Ma croyance en la réincarnation donne un sens aux événements de ma vie. Lorsque je veux une grande réponse à une grande question, je me tourne vers la Nature.

J'ai reçu une formation classique (bon collège et bonne famille) pendant que je rêvais d'être une hippie. J'ai des côtés flyés, comme ça, mais je ne le confesse pas à tous.

Le plus beau cadeau que j'ai reçu est sûrement la faculté de rire, même si ça donne des crampes.

Salon:

Bien que je m'entende avec tout le monde, mes ami(e)s sont sélectionné(e)s. Je remarque chez eux certains points communs: le savoir-vivre, l'humour, la gentillesse et la conversation intéressante. Je n'aime pas les gangs et j'ai horreur du bruit. Pacifiste et non raciste, je déteste toute forme de conflit. Je ne supporte pas les tempéraments colériques ni les esprits étroits.

J'ai un sens de l'humour assez particulier, dit-on; sans doute parce que je peux aller jusqu'au sarcasme.

Le sens de l'humour m'a bien servie jusqu'ici, car j'ai eu l'occasion de rire de moi-même dans certaines situations et surtout, il m'a aidée à trouver aux drames de la vie un côté cocasse. L'humour est pour moi une arme contre les agresseurs, un bouclier contre la déprime et un moyen de m'entourer de gens agréables dans une atmosphère plaisante et chaleureuse.

Si tu es susceptible, tu peux arrêter ta lecture ici, parce que moi, je suis moqueuse.

Cuisine:

Je suis très sensuelle et je ne fais pas seulement allusion à la sexualité. J'aime la bonne bouffe et je fais bien à manger (en tout cas, moi je trouve ça bon !), mais rien n'est plus agréable que de se retrouver dans un chouette petit restaurant avec une bonne bouteille de vin (avec du monde aussi), ou dans un café sympathique — situations propices à la communication. Si les hommes préféraient les pneus Michelin aux nymphes des légendes, je me paierais un tour du monde gastronomique, par volupté et par curiosité.

Chambre à coucher:

Comme il n'est pas question de performance olympique mais bien d'une vie sexuelle agréable et régulière, je tiens à mentionner que si tu es homme à faire de la sexualité une occupation du samedi soir, si les enfants sont couchés, s'il n'y a pas de hockey à la T.V., etc., tu peux arrêter ta lecture ici. La sexualité a pour moi beaucoup d'importance. J'aime ce plaisir de la vie et je suis gourmande, surtout devant un feu de foyer... s'il y a un pare-étincelles!

Je considère important que ce niveau de la relation entre deux personnes soit baigné de tendresse, d'affection et de complicité. C'est un moment de la vie où le cœur et le corps oublient leur âge. Je me permets d'exiger l'exclusivité car je suis moi-même une personne fidèle.

Chambre d'enfant:

Plus très portée sur la chose. Ma grande fille de 17 ans n'habite plus chez moi et je n'ai pas l'âme d'une grand-mère.

Je préfère un homme qui n'a pas la garde de ses enfants ou qui n'en a pas du tout. Je suis appréciée des jeunes, mais je n'ai absolument pas envie de jouer un rôle de mère.

Côté jardin:

Étant depuis toujours une grande amoureuse de la Nature, je suis attirée surtout par des activités qui me mettent en contact avec elle. Ainsi j'aime le ski de fond et la raquette; le camping sauvage, le canot-camping, la descente de rivière en canot, la pêche, les balades en forêt, surtout l'automne, ainsi que la bicyclette à la campagne. Je ne suis pas de ces hystériques qui dorment avec un couteau dans leur sac de couchage à l'intérieur d'une roulotte fermée à clé. Dans la forêt je suis chez moi.

Ayant deux beaux voyages à l'étranger à mon actif, j'aimerais recommencer l'expérience. Il est si enrichissant de connaître la culture et les mœurs des gens d'ailleurs, de sortir des grandes villes pour mieux prendre contact avec eux et baragouiner quelques politesses dans la langue du pays.

Je termine la visite ici, omettant les pièces condamnées et les passages secrets. Pour être invité à voir le reste, tu devras désirer une relation honnête, d'égal à égal, où l'on accepte que force et faiblesse fassent partie des deux sexes; un bonheur tranquille où la passion peut être entretenue.

Avant que tu partes, j'ai envie de te confier quatre rêves fous:

— marcher pour la paix dans le monde,
— avoir le fric de Brigitte Bardot et aller défendre des bébés phoques,
— naviguer sur le Green Peace,
— te rencontrer.

Salut et... attention à la marche!

Maison de campagne, 38 ans, secrétaire

Manouane

Ce n'était pas sage... de quitter le savant congrès pour venir à La Boîte à mots! Mais j'aime cultiver la fantaisie bien orchestrée, comme je sais, dans un jardin potager, cultiver la fleur de l'aubergine, en pure gratuité, pour le plaisir de l'œil! Tous ces mots, toutes ces paroles m'ont fait perdre le décompte de l'heure pour me plonger dans un présent intense et étonnant. J'ai lu avec curiosité et enthousiasme! Et puis, rassure-toi, je suis retournée tout de même juste à temps pour rejoindre le savant congrès... Ça aussi c'est tout à fait moi!

Non, ce n'était pas sage... de quitter le savant congrès pour venir à La Boîte la mots. Ce n'était pas sage mais c'était si tentant! Ce tête-à-tête original avec des dizaines d'inconnus qui confient au papier leur universel besoin d'amitié et de complicité émotive m'a fait perdre, en lisant toutes ces pages, la notion d'espace et de temps: l'idée m'a conquise!

À ce premier versant de la maturité, au tournant de la vie, cette lettre est pour moi l'occasion de délimiter les contours de mon propre miroir, parce qu'il y a deux femmes en moi..., deux facettes au miroir, comme en chacun de nous!

Femme de cœur et femme de tête, j'ai navigué pendant dix années de ma vie, les poings fermés dans un univers marqué par l'effort et les doubles mesures. Femme, mère, ménagère, artisane, infirmière, etc. Un combat silencieux presque anonyme. Un petit courage cent fois recommencé, sans éclat, sans fracas, un petit courage ordinaire, méthodique mais efficace: dans le monde du quotidien, les superstars restent au salon pendant que les autres s'affairent!

Mais il y a deux femmes en moi. La femme de cœur a peut-être souhaité pour elle l'impossible... Mais la femme de tête a relevé le défi: étudier, écrire des livres, animer des ateliers, donner des cours et des conférences, travailler à l'étranger. Le chemin parcouru patiemment, sobrement, avec sérénité et persévérance me retourne aujourd'hui une certaine forme de crédibilité que j'accepte enfin de me reconnaître. Toutes ces années pour accompagner l'enfance et pour construire pas à pas une vie professionnelle significative ont fixé pour moi les deux pôles de la constance et de la stabilité.

Il y a deux femmes, il y a quatre femmes en moi... comme en chacun de nous! Il y a la femme qui peut facilement recréer sa sécurité personnelle avec ses deux valises, seule à l'autre bout du monde, mais qui s'entoure à la maison de dentelles et de confitures; celle qui aime marcher dans la foule d'inconnus des grandes capitales européennes, mais qui peut aussi reconnaître avec émotion, dans le silence d'un sous-bois du Québec, le chant d'un pinson à gorge blanche ou découvrir avec émerveillement un champignon chanterelle. Celle qui peut travailler à l'ordinateur pour la rédaction d'un texte cinq heures d'affilée en oubliant de manger, mais qui peut aussi apprendre à ne rien faire, à laisser couler le temps doucement avec un être sensible à la musique, à la danse, au silence, au soleil, à la mer, au sable blanc d'une plage, au plaisir de partager un bon repas, de s'installer simplement sur l'herbe pour entendre un concert en plein air...

Il y a quatre femmes en moi: celle qui adore le théâtre pour adultes et qui se passionne en même temps pour le théâtre pour enfants. Il y a la femme grande et mince (5' 8", 120 lb) qui peut faire lentement ses longueurs de piscines, ses dix kilomètres de ski de fond et sa demi-journée de ski alpin, pour le seul plaisir du mouvement, du froid et du paysage, sans préoccupation aucune de performance ou de compétition.

Il y a deux femmes, quatre femmes, dix femmes en moi, comme en chacun de nous. Il y a celle qui peut parler et celle qui peut se taire; celle qui a ses limites, ses soucis, ses peurs, ses inquiétudes et qui peut clairement et franchement les reconnaître, celle qui attend la même attitude des autres. Il y a la femme autonome qui ne souhaite pourtant pas pour autant la solitude.

Femme de tête et femme de cœur; femme trop sage et à la fois très fantaisiste, la conventionnelle et l'originale. Celle qui habite la ville de Québec, mais vient si souvent à Montréal pour des réunions et des comités de travail qu'elle y a découvert La Boîte à mots entre deux congrès professionnels. Il y a l'optimiste et la pessimiste, celle qui ose écrire de plus loin et d'une autre ville tout en étant certaine de ne recevoir aucune lettre en retour...

Il y a deux femmes, quatre femmes, dix femmes en moi... comme en chacun de nous! Mais tous ces miroirs ne s'additionnent pas de façon prétentieuse; ils veulent plutôt s'harmoniser et se compléter en partageant aussi l'amitié et le reflet d'un autre!

Simplement,

Manouane, 44 ans, professeur,
psychopédagogie de la petite enfance

Matinée ensoleillée

Cheveux brun clair, yeux comme un livre ouvert.
Taille moyenne (près de 5' 4"), grosseur moyenne (125 lb),
peut-être un peu plus jolie que la moyenne (difficile à dire!).
Ici s'arrêtent les mesures standard.
On me dit peu conformiste. Je n'aime pas les formalités (style fiançailles,
style vouvoiement, style «look madame» pour la professionnelle).
Maniaque de sports, de nature, je veux tout apprendre. Mon signe
Verseau me donne mon autonomie, ma fantaisie (ex.: ma frivolité).
Mon ascendant Lion me donne mes passions, ma rage de vivre.
J'adore rire, m'amuser. J'adore le matin,
le soleil du matin, la vie du matin.
J'adore la vie mais... je m'ennuie d'être en amour.

Il est 23h30. Après deux heures de lecture à La Boîte à mots, un peu de natation et une bonne discussion avec ma chum Lisanne, j'arrive chez moi et... j'ai un «trop plein»...

Je m'installe par terre, près de ma fournaise (j'adore la chaleur). Je prends crayon et papier et encore une fois j'écris. C'est une chose que je fais à l'occasion depuis que je demeure seule (deux ans). Je le fais chaque fois que j'ai un «trop plein». «Trop plein» d'émotions, «trop plein» d'inquiétude ou de tendresse. J'ai besoin de le communiquer. Tu ne peux pas toujours appeler tes chums à toute heure du jour ou de la nuit. L'écrire est un peu pour moi comme me blottir contre une épaule réconfortante. Minable substitut, direz-vous, mais ça dépanne!

Mais ce soir, c'est différent. J'écris pour mon «trop plein» d'émotions, d'excitation face à la nouvelle aventure dans laquelle je m'embarque (une première pour moi!), mais je n'écris plus pour moi seule. Je le fais pour quelqu'un, pour toi. C'est à la fois gênant, amusant et excitant de s'ouvrir à un inconnu.

La Boîte à mots, je n'y pense sérieusement que depuis quelques jours, une semaine au plus. Pourtant il y a belle lurette (deux ans, c'est long!) que la vie sans couple me pèse sur le cœur. Mais j'avais besoin de ce recul de solitude pour réaliser des choses par moi-même. De plus, les relations passées laissent des traces. Il faut à un moment donné s'arrêter, faire le point, cicatriser les blessures. C'est fait! Après on se sent bien. Je n'ai pas de rancune. Je vis beaucoup le présent, un peu tournée vers le futur. Je ne renie pas le passé, il m'a enrichie. Je ne me sens pas usée par les relations passées, je me sens grandie.

(Ouf! Je ne monologue pas souvent comme ça! J'ai hâte de t'écouter aussi…)

La solitude me pèse sur le cœur c'est vrai, mais si je ne l'exprimais pas, mon entourage ne le saurait pas vraiment. Disons que je ne fais pas style «déprimée-langue-à-terre-face-longue-pieds-qui-traînent». Oh, non! Pas de temps pour la déprime!

J'aime la vie. J'ai trop plein de pep, d'entrain. Je me remets vite d'aplomb de mes «petits creux». Il faut dire que j'ai mes mécanismes de défense — mes évasions. Le cinéma me détend beaucoup (j'ai vu des semaines y aller quatre fois, d'autres pas du tout). Tu aimes le cinéma? Super! Tu détestes le cinéma? Pas grave! C'est une sortie que je savoure même seule!

Pour moi, mes antidépresseurs, mes aspirines, mes somnifères, mes speeds, ma dope… c'est le sport, le plein-air et le rire. La thérapie par le rire, j'y crois. (J'ai déjà le fou rire à imaginer l'inédit de notre première rencontre!)

Une journée intensive de ski de fond dans le bois et les montagnes, une longue randonnée en vélo, respirant à fond, jouissant de chaque minute de cette liberté, me délectant du soleil, du vent dans le visage… et oups! adieu problèmes, bonne humeur garantie! Une heure de danse aérobique, une heure de squash et me voilà plus détendue. C'est pour moi comme faire le plein d'énergie… et pourtant Dieu sait comment j'en brûle de l'énergie dans ces sports intenses! Ne cherchons pas à comprendre l'antagonisme!

Tu sais, je te voudrais pétant de santé et de pep. La santé pour moi, c'est primordial. Être en très bonne forme physique, ne pas fumer, bien manger (hum! déformation professionnelle), bien dormir, bien rire, bien aimer… La prévention quoi, pour vivre à plein, longtemps, longtemps.

Ouais! Ça devient compliqué. J'ai tant de choses à dire encore, tant de choses que j'aime. Je m'ennuie des longues conversations sur l'oreiller, des bons moments de tendresse. Je veux partager mon quotidien, rire des petits riens de la vie de tous les jours. Je voudrais te parler de ma philosophie de la vie, de mes valeurs, de mon amour des gens et des voyages, de mon travail, de ma trentaine que je sens approcher et que je savoure. Soudain, tout devient essentiel! J'ai envie de fabuler, de délirer.

1h30 du matin... et je travaille demain à 8h. Encore mes foutues passions qui me font dépasser les bornes... C'est pourtant plaisant de se laisser aller à faire des folies.

Je t'invite donc. Une invitation à la vie active et saine, à la joie de vivre, l'enthousiasme et l'émerveillement, au respect mutuel, à l'évasion, l'authenticité (relations claires, simples, sincères — je déteste le compliqué). J'adore apprendre, découvrir, partager. Alors fais-toi connaître!

Mais toi, qui seras-tu? Rieur j'espère, actif. Je n'aime pas vraiment mettre une liste de spécifications. Tu sais, je me sens assez bien dans ma peau. Je crois vraiment à ce que je pense, à ce que je fais et à ce que j'aime. Il va de soi que tu devrais en partie y croire toi aussi. Je me convaincs à dire que ton âge a, dans une certaine limite, peu d'importance (bien que j'avoue préférer les hommes de mon âge...). J'aimerais que tu sois à la fois simple et fantaisiste (mais pas flyé tout de même!), très sincère et sans détour, l'esprit vif...

Bof! dans le fond, j'aime mieux te laisser déduire. Sois intuitif!

À bientôt,

Matinée ensoleillée, 29 ans, diététiste

(Pssst! J'ai un «trop plein» à partager.)

Maya

Sur le quai d'une gare de campagne, loin des couloirs insolites des gares urbaines; loin de la ville où les buildings se dressent de toute leur fierté au-dessus du fleuve; loin des tours imposantes, de ces matrones bedonnantes qui la tiennent prisonnière dans un filet glacé d'indifférence; loin des trottoirs frileux et des réverbères frigides; sur le quai d'une gare de campagne, une jeune femme attend.

Elle est douce comme une photo de David Hamilton, tout en ayant l'autonomie des personnages de Françoise Dorin. Elle a un corps long et mince, des cheveux châtains et courts, et des yeux magnifiques: ni verts, ni bleus, ni gris.

Elle aime la neige, le melon d'eau, Schubert, les feux de bois, les chats, les rires d'enfants, les bruits de la nature, les chansonniers, les cerfs-volants, chanter à tue-tête, danser en se défoulant sur de la musique impossible, la sagesse de la nuit, l'allégresse du matin, la vie…

Sur le quai d'une gare de campagne, où, tout près, coule un ruisseau, une jeune femme attend. Et elle se dit que peut-être, un jour, son cœur, comme une pierre de chemin, s'endormira près de ce ruisseau, entre le sable et le silence…

Et elle pense que sous sa plume il y a des mots qui attendent d'être dessinés; sous son pinceau, il y a des couleurs qui se mêlent joyeusement; et sous ses doigts, il y a de la musique. Multicolore.

Cette jeune femme rêve… Elle rêve d'écrire à quelqu'un qui ne serait pas elle, qui ne serait pas un autre non plus, mais plutôt une infinité d'autres. Elle rêve de toucher les gens, de leur faire retrouver les racines de la tendresse, de les faire pleurer de bonheur, d'éveiller en eux la paix et l'exaltation de vivre, de les faire éclater de douceur sans pourtant qu'ils en oublient la souffrance, la peur, la folie…

Sur le quai d'une gare, une jeune femme attend. Elle attend d'entendre le pianissimo du train qui viendra et qui — mince ligne noire parmi la cartographie verte — aura peut-être le poids de ses années.

Elle attend qu'un train s'arrête. Train de l'amour et de l'amitié. Train aux wagons variés...

Wagon aux lumières tamisées, aux confidences et aux secrets chuchotés.
Wagon meublé d'une table ronde propice aux échanges, aux discussions.
Wagon du XVIIIe siècle, rappel des soirées littéraires et musicales
  d'antan.
Wagon aux chandelles espiègles, aux rêves partagés.
Wagon aux fauteuils moelleux, à la bibliothèque garnie.
Wagon salle de spectacles, de films, de concerts classiques et de jazz.
Wagon aux fenêtres ouvertes sur d'autres pays, d'autres cultures.
Wagon d'écriture, de création collective.
Train d'amour et d'amitié.

Sur le quai d'une gare, une jeune femme attend...

Maya, 28 ans, étudiante

Médée

Active, dynamique et en pleine forme,
très impliquée dans mon travail et bien dans ma peau.
Prête pour une relation affective stable, mais non étouffante,
sous le signe du partage, de la communication,
de la bonne compagnie, selon un mode de vie à déterminer,
vraisemblablement non conventionnel.
J'habite Québec, tout près de Montréal... où je viens régulièrement.

Croquis intérieur

Médée, dont la légende a retenu la passion amoureuse. Me sentir amoureuse de la vie, avant tout. Amoureuse de la terre, attendrie par ses chants. Amoureuse d'un travail intéressant et valorisant; réussite et gloriole acquises…, carrière au rythme de croisière, qui laisse place et temps pour «autre chose».

Une moitié de la vie derrière. Comme un jardin aux multiples recoins, beaux et laids; un jardin plein, non pas de fleurs, mais de fruits à cueillir. Se découvrir aussi des bouquets inexplorés de tendresse; surprendre, à fleur de peau, une intense sensualité; reconnaître le désir; se sentir au meilleur de son potentiel de plaisir sexuel.

Une moitié de la vie devant. Espace blanc pour les passions nouvelles de Médée. Disponible pour les surprises et les folies qu'elle me réserve.

Au passage du mitan de la vie, imaginer et vouloir expérimenter un nouveau mode d'existence. Un grand élan du cœur, un désir de partager tendresse, corps, émotions, idées et connaissances. Apprendre la vie du cœur, celle du corps, sans répudier la plus ancienne, celle de la tête; aménager un paysage affectif équilibré, tout en acceptant ses passions, même les plus vives.

Désirer que, au cœur du tourbillon de la vie, quelqu'un, quelque part, devienne important, prenne existence.

Médée, 44 ans, botaniste — écologiste

Paradoxe

Scorpionne ascendant Vierge, je suis à la fois passionnée et rationnelle,
exubérante et intérieure, excessive et réservée;
vouée aux plaisirs des sens comme à ceux de l'esprit.
Un «long» travail de 25 années m'a été nécessaire
pour intégrer toutes ces facettes en une totalité à peu près cohérente
qui m'apporte paix et joie de vivre.
Aussi, je souhaite ardemment rencontrer quelqu'un qui a autant besoin
de nouveauté que de stabilité dans sa quotidienneté et qui a su
lui aussi, se donner les moyens pour créer son équilibre de vie.

Prendre le risque d'aimer...

Est-ce que je veux réellement rencontrer quelqu'un? Hum..., c'est un méchant risque. Ce n'est d'ailleurs pas chose facile. Ah! mais... j'en ai rencontré des hommes. Séduire est un jeu que j'adore, mais je n'en peux plus. J'ai cessé cela depuis plusieurs mois. Sauf peut-être par cette lettre...

Non. Je ne fais pas de séduction dans cette lettre, car si je me donne la peine de l'écrire, c'est justement parce que cette fois-ci, il ne s'agira pas de rencontrer quelqu'un, comme ça «par hasard», mais plutôt parce que j'en aurai fait la demande claire.

Alors, je me présente. Je suis une brune convertie en rousse. Mes yeux sont bruns et parfois verts selon je ne sais quel mécanisme psycho-physiologique. Je mesure 5' 2" et pèse 110 lb. Je suis (je me l'avoue maintenant) une véritable intellectuelle bien que je n'en donne pas toujours l'apparence. J'adore les sciences humaines et la philosophie. Je suis très engagée sur le plan social et plutôt de gauche en ce qui concerne la politique; ce qui ne m'empêche nullement d'apprécier le beau et l'élégance de certains objets de consommation les plus inutiles. Éduquée dans un milieu modeste et simple, j'en ai gardé la fierté et la chaleur d'une famille qui se tient malgré les pires affrontements. Acculturée dans un milieu élitiste et hermétique, j'y ai appris le sens de la loyauté et de l'intégrité dans les combats les plus odieux.

Je termine actuellement ma maîtrise et je planifie de faire un doctorat tout en enseignant et travaillant à la pige pour gagner ma vie (comme je le fais actuellement).

Je désire donc rencontrer quelqu'un qui fait comme moi des études supérieures ou un professionnel à ses débuts, âgé de moins de 36 ans. Il est à noter que j'ai une préférence marquée pour les 30 ans et moins puisque j'ai beaucoup besoin de partager avec un homme de mon âge. Chose qui m'est très rare car les seuls que je connais sont... mes étudiants. Le contexte n'est pas très approprié à l'intensité relationnelle si celle-ci se manifeste...

En ce qui concerne les 31-35 ans, il n'en tient qu'à eux de juger si, selon cette lettre, les affinités entre eux et moi peuvent être assez fortes pour que le critère de l'âge ne soit vraiment que secondaire. D'autre part, si vous êtes un homme qui avez fait pleurer beaucoup de cœurs, à moins de raisons valables ou d'un changement intérieur profond, veuillez vous abstenir car je ne suis pas une superwoman et vous réussirez sûrement à me faire pleurer aussi!

Un autre critère m'apparaît comme étant essentiel; le désir d'être en accord avec soi et le degré de conscience sociale de l'homme avec qui je partagerai mon intimité. Je peux peut-être sembler exigeante, mais puisque je me sens heureuse avec ma solitude, il m'est difficile de trouver quelqu'un avec qui je le serais davantage. Si cela s'avère possible, je serais vraiment comblée car je crois tout de même très fort en la vie à deux à long terme et en l'engagement amoureux.

En ce qui concerne la vie quotidienne, je ne suis pas très structurée, mais je peux très bien m'entendre avec quelqu'un de très organisé, à la condition que mon besoin sporadique d'une certaine forme de chaos soit respectée. Je suis lente et vulnérable le matin, puis curieusement active et confiante en fin de journée. Je mange de la cuisine macrobiotique chez moi, mais rien ne m'empêche de me régaler d'un bon hot-dog steamé ou un délicieux steak au poivre. J'adore chanter sous la douche (je chante très faux!) et danser dans le salon (je danse très bien!).

J'aime lire John Irving, Sartre, Proust et Kundera (+ Bretécher, Reiser, Wolinski, etc.). Je m'éblouis devant du Woody Allen, Fellini, Bergman, Tavernier et... Spielberg.

D'autres détails du genre peuvent s'ajouter mais je ne leur accorde pas beaucoup d'importance, car, en ce qui concerne ces choses, je suis une personne ouverte, curieuse et flexible. Je suis sauvage, mais lorsque je décide d'ouvrir une porte à quelqu'un, je deviens, en majeure partie du temps, une personne douce, romantique, qui aime rire et prendre du bon temps, aimer et se laisser être aimée...

Paradoxe, 25 ans, chargée de cours

Parleuse

5' 2", 108 lb. Yeux bruns, cheveux châtains.
Belle, belle, belle — fine, fine, fine.
Extérieur: calme, douce, amicale, autonome,
intelligente, sage et réfléchie.
Intérieur: angoissée, introvertie, folle
(dans les deux sens du mot), idéaliste.

Cherche: homme beau et fin...
Âge, métier, salaire, sans importance.
Capable de parler de ses émotions, sensible.
Aimant la culture, les arts.
Autonome.

Samedi soir, seule chez moi, je m'apprête à passer les quelques heures qui me séparent du sommeil sans trop d'ennui. Mes enfants sont chez leur père où ils vivent à mi-temps. Mes ami(e)s sont occupés ou absents. Voilà ce qu'il advient lorsqu'on s'organise au dernier moment! Je sais, je pourrais sortir seule. Je n'en ai pas envie!

Depuis cinq ans, depuis mon divorce, j'en ai fait des sorties, promenades, errances, ces soirs où je me retrouvais seule, comme ce soir. J'ai fait le tour des cinémas, bars, musées. Je n'en ai plus envie. De cette solitude nécessaire, bénéfique, j'ai fait le tour aussi. Cinq ans de remises en question, de recherche, de re-connaissance. Cinq ans d'intenses espoirs, de désespoirs. Plongée au fond d'un puits, j'ai découvert qu'il n'avait pas de fond. Que pour que ma voix ait une résonance, il me fallait trouver un écho.

Pendant toutes ces années, dans ce puits, j'ai vu mon visage. Souvent, je le trouvais moche. Puis, à travers le regard des autres, j'ai compris qu'il pouvait séduire. Il m'arrive maintenant de le trouver beau.

J'y ai vu aussi une image que j'ai construite depuis 34 ans. Celle de la femme douce, compréhensive, facile à vivre. J'ai fixé cette image puis, je l'ai haïe. C'est à ce moment, je crois, que j'ai plongé dans le puits. Pour casser ce miroir trop lisse, pour me briser contre les remous. Face à face avec ma colère, ma révolte, j'ai apprivoisé mon combat. J'ai empoigné cette image et suis remontée à la surface. J'ai commencé à gommer certains traits incrustés en moi depuis l'enfance et qui me blessaient avec leurs arêtes trop vives. Puis j'ai compris que je n'avais pas le talent pour remodeler une image parfaite, sans bavure et sans tache. Qu'il me fallait apprendre à accepter ce que je suis, apprendre à m'aimer.

Autour du puits, c'était le désert. Ce que j'avais cru être une végétation luxuriante était en réalité une forêt de plastique qui s'empoussiérait. J'ai mis le feu à ce paysage artificiel. Seule parmi les cendres, je n'avais pas d'autre choix que de semer des sources d'eau. Travail ardu, décourageant, et qui ne se terminera jamais. Un peu partout autour de moi, des brins d'herbe surgissent. Certains meurent aussitôt, d'autres poussent tenacement. J'entrevois maintenant cet espace libre qui s'étire et n'en finit plus de désirer. Avec hâte, je prends une plume dans La Boîte à mots et je creuse...

J'ai soif d'amitié, de tendresse, de contact humain, même si au fond de moi-même, je ne peux m'empêcher de crier après l'amour-passion (la belle idéaliste!). Mais je sais que si le soleil de juillet brûle jusqu'au fond de l'âme, celui d'avril réchauffe tellement bien après l'hiver.

Quoi dire d'autre? Mes loisirs, mes goûts, intérêts ou ma fiche signalétique? Je n'ai que sept pages... Et je juge cela sans intérêt, ou à découvrir, s'il y a suite. D'ailleurs à tracer un portrait de moi, je ne réussirais qu'à créer une image. Je suis vivante, je change à chaque minute. Cette lettre sera du passé lors d'une rencontre future.

Ce qui m'importe maintenant, c'est d'exprimer ce que j'attends d'un chum. Je ne cherche ni un père pour moi ou mes enfants, ni un mari conseiller et supporteur. Je veux un ami qui sera capable de communiquer ses émotions, ses besoins, et qui sera capable d'écouter les miens. J'attends de lui, aussi, qu'il me respecte, c'est-à-dire qu'il accepte ce que je suis vraiment, sans m'inventer. Et si, au fil des jours, se développent une confiance et une affection entre nous, elles seront non pas évidentes du fait qu'on les recherche, mais bien sincèrement nées de lui et de moi.

Parleuse, 34 ans, secrétaire à la typographie

Paruline

Structurée, généreuse, dynamique,
sportive, tolérante, compréhensive.
Volontaire, heureuse.
Curieuse de l'«en-dedans»
des choses et des gens.
5' 4", 110 lb,
cheveux bruns, yeux bruns.

Parfois le bonheur est tout près. Dans la lumière du petit matin, dans une jasette entre ami(e)s ou dans l'effort fourni en jouant au tennis.

Parfois, il est plus discret, le bonheur. Les ami(e)s sont alors moins drôles, le travail moins satisfaisant, les questionnements plus ténébreux.

Je cultive donc ma capacité d'émerveillement et j'essaie de développer des armes pour les périodes de «questionnements ténébreux».

Moi je suis née en ville, j'ai vécu l'époque des contestations étudiantes, le grand voyage en Europe, le «trip granola» en campagne, la vie de couple pendant cinq ans et la vie de célibataire depuis quatre ans.

Voilà une description un peu «cliché» qui risque de me coller certaines étiquettes...

Ce que je suis se trouve beaucoup plus dans les émotions vécues, les gestes posés, les sourires échangés, la confiance partagée.

Les mots ne permettent pas de dévoiler tous les secrets.

Mais essayons d'en dire un peu plus...

Une caractéristique majeure: ma polyvalence, et le fait de la cultiver. Également, depuis quelques années, une vision plus relative des choses et des gens, un meilleur équilibre des émotions et des attitudes.

Plus concrètement, la nécessité des activités de plein-air. Le besoin de la nature: celle qui est sauvage, en dehors des grands chemins. Pour la beauté qui s'en dégage, l'apaisement, l'humilité.

Je pratique le ski de fond, randonnée pédestre, descentes de rivières en canot, bicyclette, observation d'oiseaux, voyages exploratoires.

J'ai aussi le goût de la ville. Pour le cinéma, (j'en mange!), expositions, concerts, librairies, restaurants. Pour la foule aussi, pour les odeurs, pour le bruit.

Femme de contrastes, j'aime le rock et le classique; j'aime «avoir la paix» et m'entourer de plusieurs ami(e)s; discuter sérieusement et délirer follement.

Des préoccupations: la protection de l'environnement, un travail qui est stimulant et me permet d'avancer, la misère humaine.

Et puis les copains si précieux et les chums de filles tout aussi précieuses. Pour les rencontres, les confidences, le réconfort.

Finalement, une maturité assez belle, d'où émergera toujours une certaine naïveté (rien à faire avec elle!). Toujours le goût de la découverte, et l'émerveillement en pleine santé!

Je veux vivre cette expérience avec gaieté et profondeur.

Paruline, 32 ans, agente d'intégration
(déficience intellectuelle)

15h40 Mauve Eklektik

Un Polaroid, une carte postale, et me voilà en vrac et dans l'instantané. Mais écrire à tout le monde et à personne, la belle affaire! Je m'en sors avec une pirouette ou je suis joueuse?

Il me semble pourtant vous avoir écrit des centaines de lettres auxquelles vous avez répondu d'ailleurs. Avons-nous si mauvaise mémoire qu'il faille le faire une autre fois? Eh bien, soit.

J'habite une maison jaune, voisine d'un saule centenaire et d'un garage Ultramar. Je suis belle six jours sur sept et un peu chiante le septième. Mais comme je suis casanière un jour sur sept, je fais coïncider et le tour est joué. Si je vous l'avais pas dit, vous auriez jamais su. Enfin…, peut-être en connaissant bien le calendrier lunaire.

J'aime ceci, j'aime cela, mais c'est la vie que je préfère, les gens vrais dans leurs yeux, simples dans leurs manières, qui apprécient le brut et le raffiné et qui sont doués pour les mélanges.

J'évite sérieusement la fumée de cigarette. Je passe le plus clair de mon temps à me fourvoyer, et aujourd'hui plus qu'hier. Heureusement, chaque jour ramène la brunante pour me cueillir là où je suis.

15h40 Mauve Eklektik, 28 ans, archiviste

Reflet

Recherche d'une relation profonde
Partage d'intérêts
Traits physiques: grandeur, 5' 5", poids, 135 lb,
cheveux châtains, yeux bleus

Vol de nuit

Pourquoi le titre de vol de nuit?

La nuit renferme la poésie des êtres et des choses. Les lieux et les êtres se révèlent doucement.

Mon premier vol de nuit, je l'ai réalisé en survolant les locaux de La Boîte à mots. Je me sentais rongée par la réticence; pour cette raison, une ou même quelques visites s'imposaient.

Cette étape franchie, je laissais peu à peu tomber mes défenses personnelles vis-à-vis les organismes de rencontres. Sonder le terrain, flairer l'environnement furent des moyens utiles.

Deux visites m'ont aidée à chasser les sentiments négatifs rattachés à ce que j'appelle: les commerces de relations. Je soupçonnais et redoutais un côté superficiel, un côté «produit de vitrine» du style «amitié à vendre». À quel prix?

Sans apprivoisement, j'éprouvais une sérieuse difficulté à approuver cette manière d'entrer en relation. Comme certains le soulignent dans leur texte, prendre contact par le biais d'une écriture personnalisée vaut mieux que des rencontres éclairs dans les bars ou autres lieux publics. Alors... j'ai atterri.

Le second billet pour un vol de nuit me sert à rester suffisamment dans l'ombre, à me révéler subtilement et avec discrétion. Je désire agir en étoile clignotante dans la nuit, gardant toutefois une disponibilité à jeter plus de lumière par le biais d'une rencontre.

On devinera tout de suite que je me méfie des coups de théâtre, des descriptions surchargées, de l'affichage, du plein-la-vue.

Je préfère les effets tamisés, le clair-obscur. Un clair-obscur n'entraîne-t-il pas plus d'intimité que la lumière enfumée et trop écrasante des réflecteurs?

J'opte donc pour le murmure, de là naîtra peut-être une mélodie.

Volontairement, je laisse planer une part de mystère, de non-dit, de silence.

Comme prochain pas, je compte sur la richesse d'une rencontre qui habituellement parle beaucoup. Nous aurons un indice de plus: la lumière de nos voix.

Pour mon dernier vol de nuit, je me rallie à Saint-Exupéry et m'évade fièrement avec *Le Petit Prince*. Les valeurs défendues dans ce livre me rejoignent profondément.

C'est avec la ruse du renard que je me retire en signalant la pertinence de mon nom de plume: Reflet.

Espérant que ce premier reflet ait l'effet d'un clin d'œil, car, un clin d'œil annonce souvent une première complicité et suffit parfois à bien amorcer un rapport humain.

Au plaisir...

Reflet, 40 ans, éducatrice

Rose-Anna

Signe: Scorpion ascendant Cancer.
Musique: Beatles, Sting, Daniel Lavoie...
Lecture: Arsène Lupin, Dune, Robert Ludlum...
Cinéma: 37,2° le matin, Witness, Le Déclin de l'Empire américain...
Restaurants: grecs, vietnamiens.
Péché mignon: vin rouge.
Cheveux bruns, grands yeux bruns. 5' 5", 125 lb.
Tenue simple et très décontractée. Fumeuse.

Le temps d'une paix

Je me demande bien où se cache Joseph-Arthur? Je suis un peu fatiguée de le chercher celui-là! Oh! J'en ai bien fréquenté quelques autres, mais en vain.

Foi de Rose-Anna, c'est Joseph-Arthur qu'il me faut!

C'est un homme sensible et doux, mais qui ne manque pas de caractère. Il est intelligent, spontané, imaginatif et empathique. Il a le sens des responsabilités (les siennes), et surtout, le sens de l'humour. Il est conscient de lui-même et de ce qu'il veut. Il a bien quelques petits défauts aussi...

J'en ai bien quelques-uns aussi, alors... J'ai aussi quelques qualités, mais je suis un peu trop humble pour les mentionner. Ah! Si seulement Ti-Coune pouvait parler!

J'ai demandé à Zidore de faire le tour du village pour s'enquérir en douce de ce que les gens pensent de moi. Il paraît que je suis drôle, intelligente, réaliste, réfléchie, à l'écoute des autres, pas du tout superficielle. Mon humilité en prend un coup, mais je ne voudrais pas contredire tout le village.

Mémère Bouchard, elle, connaît mes petits côtés cachés. Par exemple, le fait que je suis très sensible et romantique, que je suis plus souvent blessée que fâchée. Je donne l'impression d'être très réservée et timide au premier abord, mais on apprend vite à me connaître et à me voir d'un autre œil. J'adore rire et faire rire. Je suis plus enjouée que gênée. Je suis très sociable, mais je choisis mes ami(e)s comme des complices.

Mon meilleur complice c'est Joseph-Arthur. Nous avons une relation d'égale à égal où la communication est profonde.

Mes plans avec lui ne sont pas définis. Je cherche sa compagnie, son amitié, sa tendresse, peut-être plus…, je n'aime pas prévoir ce qui est, de toute façon, imprévisible.

J'espère que tu es là Joseph-Arthur, en train de lire cette lettre que je t'adresse. J'ai pensé que La Boîte à mots serait un bon lieu où te trouver, connaissant ton faible pour les lettres de «créatures». Là, ils en ont tout un recueil! Ils ont aussi un recueil de lettres d'hommes qui est, ma foi, très intéressant. Ce n'est pas le choix qui manque. C'est très tentant!

Écris-moi vite!

Rose-Anna, 28 ans, intervenante (jeunes sans-emploi)

P.S.: Une autre caractéristique de Joseph-Arthur, c'est qu'il m'est difficile de dire son âge exactement. Je sais qu'il a entre 30 et 40 ans.

Sans hésitation

Cheveux bruns courts, grands yeux bruns, 5' 3", 115 lb, toujours habillée sport, allure décontractée (pas du tout genre «madame»). Je déteste avoir à me décrire physiquement car je ne veux ni être trop indulgente envers moi-même, ni me déprécier. Je dirais de façon plutôt neutre que je me situe dans la bonne moyenne. Ce qui ne veut pas dire grand'chose. Alors...

Contrairement à ce que j'ai pu lire lors de ma «visite d'inspection» à La Boîte à mots, je n'ai aucune hésitation ni aucune gêne à recourir à ce service afin de rencontrer un compagnon.

Probablement parce que je suis une femme d'action et que je n'endure pas très longtemps une situation qui ne me plaît plus, sans chercher à faire quelque chose pour y remédier. Après un an et demi, j'en ai assez d'être seule... Je n'ai pas envie d'aventures d'un soir qui n'apportent ni tendresse, ni chaleur, ni affection... J'en ai assez de rencontrer des hommes qui ne sont pas «libres»..., et quand je vais danser dans une discothèque, (j'aime ça à l'occasion), c'est parce que j'ai envie de danser et je déteste m'y faire cruiser.

Alors, aucune hésitation: je plonge!

J'ai déjà un grand amour dans ma vie, une adorable fillette de cinq ans qui vit avec moi à demi-temps. Ce petit bout de chou réussit à combler une bonne partie de mes besoins affectifs et je ne peux imaginer ma vie sans elle. Elle m'apporte amour, tendresse, affection, chaleur et joie de vivre.

Depuis que je suis séparée (il y a un an et demi), cet amour-là m'a suffi. Après sept ans de vie commune avec son père, j'appréciais de me retrouver seule, de vivre différemment, de vivre autre chose.

Plus maintenant. Je m'aperçois tout à coup qu'il y a de la place dans mon cœur et dans ma vie pour quelqu'un d'autre. Mais quelqu'un d'autre qui sache accepter cet amour qui existe déjà dans ma vie.

D'autre part, vaut mieux le dire d'emblée: je suis plutôt anticonformiste et je dirais même «contestataire». C'est-à-dire que je n'accepte pas nécessairement une situation ou un état de choses qui me semble injuste pour la seule raison qu'il en a toujours été ainsi. J'aime à questionner, à remettre en question plutôt; à m'impliquer pour essayer de changer des choses, que ce soit au niveau des relations hommes-femmes, de la situation des femmes, de la situation des travailleurs, des jeunes, des pauvres, etc.

Je ne désire pas rencontrer quelqu'un qui partage toutes mes idées (ce serait trop ennuyant car j'adore discuter, argumenter, essayer de convaincre quelqu'un ou que quelqu'un essaye de me convaincre de quelque chose). Mais je ne me vois pas du tout avec quelqu'un de straight, aux valeurs conservatrices. Avoir un esprit ouvert, un esprit critique, se sentir concerné par les questions sociales: voilà qui me semble très important.

Mais rassurez-vous: je ne passe pas toute ma vie plongée dans ces grandes questions. Et malgré mon travail à temps plein, mon «implication sociale», mes études à temps partiel, et ma relation avec ma fille, il me reste encore du temps pour faire autre chose. J'adore lire, aller au cinéma, faire de la bicyclette, aller voir des spectacles, partager un bon repas au restaurant avec des ami(e)s et, à l'occasion, aller danser. Sans parler qu'il y a toujours un petit projet de voyage qui me trotte dans la tête...

Je suis fière d'avoir appris à faire toutes ces choses même en étant seule. Cela a été un défi à relever. Mais maintenant que j'ai fait cette expérience, que j'ai réussi à «faire une femme de moi» (c'est-à-dire n'attendre personne... s'il n'y a personne... pour aller au cinéma, aller en voyage, aller danser, etc.), j'aimerais beaucoup partager tout cela avec quelqu'un.

Voilà. J'ai plongé. Je me sens déjà mieux de savoir que j'ai entrepris quelque chose pour essayer de mettre fin à cette solitude de cœur, pour essayer de rencontrer quelqu'un qui puisse m'apporter ce qui me manque et à qui, en retour, je puisse donner tout ce que j'ai à donner.

Sans hésitation, 32 ans, comptabilité
(Ce qui est l'effet du hasard mais n'est pas réellement ma branche. Je travaille dans le milieu syndical, de manière «engagée» et «impliquée». Mon emploi déborde largement la comptabilité dans ce sens.)

P.S.: J'ai oublié de dire que si tu as un fort sens de l'humour, je suis déjà conquise. Et si tu penses aussi que la passion ne peut se vivre sans tendresse, alors là, je ne réponds plus de rien!

Simone

J'ai 26 ans. Je mesure 5' 4" et pèse 110 lb. À part de ça,
je n'aime pas trop «m'autoportraiter». Alors graphologues, à l'oeuvre!

Je cours toujours après l'autobus. Parfois aussi, je cours quand il n'y a pas d'autobus; parce que j'ai trop d'énergie, parce qu'il fait trop soleil ou que j'ai trop le goût d'être en amour. J'arrive à mon travail, la couette en l'air, juste à l'heure pour donner mon cours. Être en avance? Pas le temps. J'ai trop à faire, chez moi, à me raconter des histoires, penser aux images du dernier film, finir la page que je suis en train d'écrire.

Je suis folle des mots. Les mots sont ma passion, les mots me charment. J'aime tous les mots. Mais surtout les savoureux, les tendres, les rusés, ceux qui se laissent désirer. Les mots qui sont au bout de la branche, c'est ceux-là que j'aime le plus. Je suis une fumeuse à temps partiel. C'est-à-dire que je fume pour faire ma fraîche, pas devant une bonne Bud, non, plutôt quand je suis seule, chez moi, devant une belle page blanche. Alors là, le goût d'une petite cigarette me prend, je cours au dépanneur et je reviens faire ma Simone de Beauvoir. Satisfaite...

À part les mots (il faut bien en revenir), j'aime le cinéma et la mer. Le cinéma, souvent pour y voir la mer, et la mer, parce que la mer... c'est comme tout. C'est comme le trop dont j'ai besoin parfois, pour retrouver mon calme intérieur. Viendrais-tu avec moi, un bon 25 octobre après-midi, faire un saut sur l'une des plages du Maine et t'asseoir devant le flot bleu et noir d'une belle mer d'automne?

J'aimerais que tu sois mon allié. Un allié qui poursuit son chemin vers le plaisir, vers l'atteinte de ses désirs et qui a besoin, comme moi, de bras tendres qui accueillent, qui réconfortent, qui énergisent pour un autre petit bout.

J'aimerais que tu aies entre 25 et 35 ans. Que tu aimes la vie, que tu croies en tes désirs et que tu apprécies la lenteur d'un temps qui passe, doux et entendu, dans le silence des draps de flanellette, ou bien simplement devant la T.V. un petit vendredi soir qui pleut, à rien dire et à se coller...

Je voudrais que tu me racontes tout ou rien du tout, sachant que je suis ta complice. Un bel allié qui sait la douleur et l'extase d'une vie qui se crée chaque jour au rythme de nos efforts. Plus j'y pense, plus je t'espère!

Simone, 26 ans, agent en communication

Tango

Aller me promener un soir d'été
Ou un verre de vin avec un bon souper
Un bon livre pour relaxer
Ou s'il pleut, peut-être aller danser
Suivre des cours, pour m'amuser
Dormir dans un lit à un oreiller
Attendre au chair lift quelqu'un d'autre pour monter
Aller au garage, me faire… flouer
Et le fusible, lequel changer?

La Solitude!

J'y ai goûté
Je l'ai appréciée
Et j'en ai soupé

Je crois qu'après trois ans et demi de vie sans compagnon, je me sens prête à vivre autre chose.

Ce que j'ai à offrir:

De beaux yeux et un grand nez avec des lunettes
38 ans, sans cheveux blancs, d'allure très jeune
Petite et mince, l'ensemble assez agréable
Fumeuse invétérée
Beaucoup de caractère, avec beaucoup de douceur et de tendresse
Deux adolescents qui me disent: «Tu devrais te faire un nouveau chum,
    tu serais moins grognon le matin»
Un bon job où je ne veux plus faire carrière
Une maison remplie d'enfants ne me fait pas peur
De l'intelligence et le goût de la découverte
De la féminité et de la sensualité
Le goût d'aimer et d'être aimée

Cependant
Un très sportif va s'ennuyer
Un trop intellectuel aussi
Quelqu'un qui ne supporte pas les enfants va enrager
Un buveur va lever les pieds

Mais

Un bricoleur sera apprécié
Un dynamique va trouver chaussure à son pied
Quelqu'un qui aime découvrir et apprendre va partager
Un exclusif n'aura pas à s'inquiéter
Un gars doux et tendre sera comblé (ce qui n'exclut pas pour moi qu'il ait du caractère)
Quelqu'un qui sait ce qu'il veut (et qui est capable de l'exprimer) sera heureux

À trois, nous formons déjà une bonne équipe et je n'exige pas du quatrième partenaire qu'il vise un engagement à plein temps.
Un bon joueur stable, à temps partiel, ferait tout aussi bien l'affaire.
À noter que l'ancien coach prend la relève des juniors régulièrement.
J'espère sous peu, pouvoir rire, pleurer, partager, m'engueuler, etc., à deux...

Tango, 38 ans, souscripteur (assurances commerciales)

Vagabonde

J'aime le popcorn chaud
Je travaille trop
Je ne suis pas Nathalie Petrowski
Le reste est dans le texte qui suit...

Montréal... en solitaire

Mon ordinateur est en panne. Il refuse obstinément d'imprimer les accents.

Comment vous dire, sans accent, la beauté du lac Tchad, l'homme qui a pris ma main dans les rues de Delhi, la femme qui a bouleversé la couleur de mes nuits...

Cinq mois déjà que je suis rentrée... Le fleuve est toujours aussi beau. Mon travail toujours aussi passionnant. Je suis heureuse, profondément heureuse en fait, 95% du temps.

Mais ils sont ailleurs ceux-là que j'ai aimés. Nos futurs ne se conjuguaient pas.

Je ne cherche pas un mari, vous l'aurez compris. L'appel du large est trop grand, trop fort. Il m'emporte souvent, loin, ailleurs. Vous ne me pardonneriez pas de vous préférer la Chine ou les ruelles de Téhéran.

Mais je vous cherche quand même dans les rues de Montréal. Je voudrais comprendre pourquoi je vis toujours ma ville en solitaire.

J'y habite et j'y travaille. C'est ici que j'ai grandi. Ici que je reviens, entre deux reportages, retrouver ma salle de rédaction, les verres de styrofoam, la patinoire de mon quartier, les p'tits bums de ma ruelle, le plaisir des mots qui vibrent comme les miens.

Pourtant, jamais, ici, quelqu'un n'a dit «je t'aime». Suis-je tellement différente à l'étranger?

Un bras autour de mes épaules. Une voix au bout du téléphone. Quelqu'un qui rirait de mes angoisses existentielles. Quelqu'un qui parfois ébourifferait ma courte tignasse rebelle et m'entraînerait loin de l'urgence du monde et de l'heure de tombée... Une chaleur à partager.

On rencontre beaucoup de monde dans mon métier, direz-vous. Et vous aurez raison. J'ai un cercle d'amis chaleureux qui ne rate jamais l'occasion de célébrer mes départs et mes retours, qui berce mes peines et ravive mes joies. D'un continent à l'autre, j'ai l'amitié fidèle.

Mais la chimie des êtres est mystérieuse. Certains hommes m'ont émue. Je le leur ai dit. L'émotion n'était pas réciproque.

Ils m'aiment bien, disent-ils. Mais je suis toujours trop quelque chose, un quelque chose qu'ils n'arrivent pas à définir.

Trop grande, peut-être. Si forte, disent-ils tous.

Je ne me reconnais pas dans les «douces» et les «perles rares» que vous cherchez. Devant l'horreur du monde ma colère est grande... et ma tendresse, peut-être aussi immense.

Des morceaux de moi sont ailleurs. Ils font la queue dans le froid à Varsovie. Ils coupent de la canne à sucre dans l'Ile de Negros, vivent sur une montagne de déchets à Manille, font la fête au beau milieu du désert du Niger.

Je ne respecte pas les règles. J'envoie des fleurs sans raison. Je saute les clôtures pour aller patiner la nuit. Je lis beaucoup évidemment. La vie me réjouit. J'aime beaucoup les surprises, les petites attentions qui, à l'improviste, interrompent mes longues heures de travail.

Ça m'emmerde de vous dire si je vais ou non au cinéma, si j'aime ou non la musique ou si je lui préfère le canot, la marche à pied ou le tricotage au coin du feu.

À boire mon café, d'autant de façons, au cours des dernières années, je ne sais plus moi-même lequel je préfère.

J'aime bien le jus de pamplemousse le matin avec mes céréales. Mais dans mon petit village philipin, j'aimais tout autant le riz et l'eau qui me servaient de déjeuner.

Je m'enthousiasme encore d'un match de hockey quand c'est mon paternel qui l'écoute et que nous partageons du popcorn chaud. Un ami, qui ne savait pas trop où était l'Afrique du Sud, m'a appris les plaisirs des heures passées sous la pluie, dans un canot, une canne à pêche à la main.

Celui qui prendra ma main à Montréal n'existe peut-être pas. Je n'ai peut-être pas ma place après tout dans ce grand cahier...

Vagabonde, 29 ans, journaliste

P.S.: Je suis plutôt grande. Mince évidemment à la vitesse à laquelle je vis. Pas vraiment «belle» je crois, au sens où si souvent, les magazines l'entendent. Mais je me trouve plutôt belle quand ruisselante de sueurs, sur une photo, je tire un camion d'un bourbier, ou que songeuse je regarde le soleil descendre sur Alger.

Zoa

Cheuveux bruns, yeux bruns, pas trop grande (pas si petite non plus).
Bref, rien de spécial, mais y en a pas deux comme moi! Sensible,
donc je prends les choses au sérieux, mais j'adore rire aux éclats donc,
contradiction (les paradoxes sont l'essence même de la vie, alors!...).
Le mieux c'est de lire ma lettre, je suis mauvaise dans les télégraphes...

Bonjour,

Bonjour «monsieur X»,

Je ne peux me décider à écrire cette lettre sans m'adresser à quelqu'un, alors j'opte pour «monsieur X» même si ça sonne un peu roman policier; mais dans le fond, tout comme un détective, je cherche quelque chose ou plutôt quelqu'un mais je n'ai aucun indice, sauf un, peut-être: monsieur X est en train de lire des lettres dans la petite salle de lecture de La Boîte à mots tout comme moi il y a un mois, j'étais assise en train de lire des lettres — des belles lettres. Il y a beaucoup d'humanité exprimée dans ces lettres de gens à la quête de quelqu'un.

Bon, ça m'a pris un mois à me décider pour de bon, un mois à mijoter une lettre qui parle de moi et de ce que je cherche (au moment de commencer à écrire, je n'en savais toujours pas le premier mot. C'est en posant la plume sur le papier que les mots sont venus!)

Une lettre qui pourrait me dire: tout un contrat. Commençons par ce que je fais — ça va me situer moi-même! — j'étudie la musique, la viole de gambe plus précisément et c'est beaucoup pour moi. C'est beaucoup et très important. C'est ce que j'aime le plus faire; je n'aime pas toujours pratiquer, mais en même temps je ne pourrais pas ne pas pratiquer, c'est trop merveilleux: c'est merveilleux parce que le travail qui se fait en une pratique quotidienne est minime mais tellement plein, parce que c'est le lien entre la pratique que j'ai fait la veille et celle que je vais faire demain... C'est un fil qui relie mes journées, et puis la musique c'est beau.

Quoi dire de moi? J'aime les Arts (oui je sais, c'est vaste comme terme mais cette lettre est courte pour pouvoir détailler les «grands mots»). Les Arts de toutes les époques, de tous les pays. C'est l'activité humaine que je trouve la plus fascinante. Dans le fond, j'aimerais connaître l'histoire de toutes les civilisations et comprendre tout un peu plus. Ça prendrait plus que ma vie, alors je me contente de glaner au fil du hasard quelques connaissances.

Mais c'est pas tout, il y a autre chose que j'aime comme ma ville et mon quartier. J'aime marcher et savoir qu'à telle place, le café est frais ou qu'à telle autre, les dattes ne sont pas chères, et puis décider du jour au lendemain que c'est à telle boulangerie que je dois acheter le pain et pas à une autre. Et puis j'aime beaucoup les œufs et le bacon le dimanche matin dans un «restaurant du coin».

Et j'aime prendre l'autobus parce qu'il y a beaucoup de monde que je peux regarder (surtout quand on s'asseoit sur le grand banc de côté, à l'arrière; il y a beaucoup de visages à observer).

Et puis j'aime le cinéma et le théâtre; le théâtre c'est magique, le cinéma c'est fascinant. Et les voyages? Je me sens plutôt sédentaire. En fait c'est faux; c'est plutôt que j'aime habiter les endroits et pour habiter, ça prend quelque temps. J'aimerais habiter dans certaines villes d'Europe où je pourrais étudier ou travailler, et vivre dans une autre langue. Ces temps-ci, j'aime bien parler allemand, car je redécouvre cette culture, étant à moitié autrichienne d'origine. Et puis quoi encore? À croire qu'il n'y a rien que je n'aime pas, les choses qu'on n'aime pas demandent trop d'explications pour ma petite lettre. Je peux dire que je n'aime pas du tout les betteraves (inconditionnellement!). Mais je peux dire que j'aime beaucoup les bandes dessinées quand je suis fatiguée, avec un bol de chocolat chaud et de la bonne musique.

Il n'y a pas beaucoup de sports dans cette liste. Humm! je dois avouer n'être pas très sportive. J'adore l'eau même si je ne nage pas trop bien et j'aime marcher, marcher beaucoup.

Ça m'a l'air que cette lettre, c'est dans le genre: «Dis-moi ce que tu aimes et je te dirai qui tu es!»

C'est la seule manière que je trouve de me définir, car je ne crois pas trop dans les adjectifs et les attributs.

Bon, ma vie est belle, grande, (aussi grande que je puisse l'assumer). Elle a un centre: la musique. Ce centre est plein de satellites, je veux dire que je sens beaucoup d'autres ressources en moi. Je peux très bien concevoir ne pas être musicienne.

Bref, «ça va très bien, merci» mais il y a un vide et ce vide commence à devenir trop grand. Il a beaucoup de noms ce vide: amour, relation, partage, intimité, chum, ami, amant, compagnon... Tous ces noms sont différents, expriment plusieurs nuances mais ils réveillent le même sentiment en moi: le sentiment d'un chemin plus complet que le chemin que je suis en train de parcourir.

Ma vie je peux l'assumer seule, mais mon «humanité» (ma réalité d'humaine mettons), il me semble que c'est à deux que je pourrais réellement l'assumer. Cette dernière phrase a un goût quasi trop philosophique; c'est aussi pour être ou devenir moins théorique que je voudrais vivre une belle relation avec quelqu'un.

J'ai dans la tête cette image d'une grande maison où les déjeuners se partagent, où les journées sont faites de travail, où on se retrouve seul avec son projet, avec soi-même (j'aime pratiquer, travailler, quand je sais que quelqu'un travaille pas loin), et où les soupers sont des retrouvailles et des «re-partages».

Bon, c'est idyllique (la preuve, c'est que cette maison est toujours ensoleillée dans ma tête), mais c'est un peu comme ça que j'aimerais vivre une relation: autonome et partagée. Pourtant il n'y a pas qu'une sorte de relation, ce serait trop simple, trop plate. J'aime savoir que chaque relation a sa propre structure, sa propre vie et je suis insatiablement curieuse de ce qui m'attend, de ce que je découvrirai chez d'autres personnes.

Zoa, 24 ans, étudiante en musique

Zoécie

Cherche quelqu'un qui a les bons défauts
et pour lequel mes travers deviendront
des qualités exceptionnelles.

Bon voilà, on a beau aimer l'écriture, c'est toujours un peu difficile d'écrire sur soi d'autant plus qu'on ne sait pas qui nous lira.

Pour ce qui est de ce qui paraît en premier, je suis petite, mince, mes cheveux sont courts et un peu prune. J'ai de grands yeux très actifs. Mes amis me trouvent drôle, mais j'ai aussi mes angoisses; c'est surtout pour apprécier le soulagement, après. Je donne donc dans le petit modèle passionné avec périodes d'accalmie.

Bon, la question du sport est facile à régler. Je n'organise jamais de sorties sportives, mais je me laisse organiser facilement. Je sais nager, j'aime beaucoup patiner, j'ai une bicyclette et des shoes-claques. La dernière fois que j'ai fait du ski de fond, c'était avec un appareil photo et mes amis ne m'ont plus jamais organisée pour ce sport-là! Dans mon cas, la bonne volonté supplée à la souplesse.

J'enseigne dans un Cegep et ce travail me plaît énormément. J'y mets beaucoup de temps et c'est quelque chose d'agréable; j'ai toujours envie de me lever pour aller enseigner et en même temps, c'est très important que mes étudiants soient satisfaits, qu'ils aient envie d'être en classe et y trouvent du plaisir.

Comme bien des gens de La Boîte à mots, j'aime bien magasiner chez Champigny et Renaud-Bray et compulser le cahier des Arts et Lettres de *La Presse* et du *Devoir* du samedi. Mais, ce n'est plus assez; j'ai envie de prêter mes livres, partager mon popcorn, regarder les livres de recettes et saliver à deux, être déçue du film choisi par l'autre et coller mes pieds lorsqu'ils sont froids.

J'aime beaucoup rire et faire rire. Je rêve d'écrire un roman qui ferait rire tout le Québec. C'est un peu prétentieux, mais je m'assume; j'ai deux chapitres d'écrits. Mais, comme ils n'étaient pas très drôles, je lis ceux des autres pour le moment.

Comme j'aime les livres et les lire, j'ai aussi ce côté paresseux qui va avec, soit le plaisir de faire craquer le livre et de tourner les pages sur un bon divan, dans de vieilles jeans, avec une bouteille de rouge. Le plaisir arrivant à son comble lorsqu'il fait froid dehors ou pire, qu'il pleut et qu'on n'a ni envie, ni besoin de sortir. Le café et les journaux le dimanche matin, ce n'est pas désagréable non plus, et j'aime les vieilles chansons françaises!

Ce qui me donne aussi beaucoup de plaisir, ce sont les atmosphères qui se créent selon les gens, les lieux, les humeurs et les jours; les atmosphères qui font qu'on s'étonne parfois de se découvrir soi-même. Pour cette raison, pour rechercher des images et des parfums, des visages et des embruns, j'aime aussi partir à l'étranger sans trop de planification et regarder autour l'étrangeté qui fait le quotidien des autres. Jusqu'à maintenant, j'ai surtout voyagé seule pour pouvoir faire de la photographie et aller où je voulais. Maintenant, j'irais encore plus loin, jusqu'à partager de nouvelles atmosphères, faire de la photocomposition, à Montréal ou ailleurs.

Une fois, j'ai un ami qui m'a demandé qu'est-ce que je voulais vivre avec un homme. La réponse qui m'est venue est que je voulais de la tendresse et de la complicité. Genre un peu horrifié, il m'a répondu, avec un petit quelque chose me renvoyant l'image d'une femme irréaliste... idéaliste (moi, j'aimerais mieux réaliste): «Mais, c'est de l'amour, ça!» Alors, c'est ce que je recherche.

Évidemment, ce n'est pas si simple parce que le passionnant de la vie, c'est qu'on ignore toujours quelles complications elle nous prodiguera, mais la complicité j'aime ça; se regarder du coin de l'œil et savoir, décoder le sourire, interpréter le geste de la main qui remonte les lunettes ou glisse la mèche de cheveux plus loin derrière l'oreille, le cou qu'on gratte et qui ne pique pas et j'arrête là. Quant à la tendresse, il faut être au moins deux pour l'inventer, on s'en reparlera.

Zoécie, 32 ans, professeure au cegep

textes
masculins

Adam

«Je fais souvent ce rêve étrange et pénétrant
d'une femme inconnue...»

Bonjour, femme inconnue qui lis ces lignes.

Je n'ai pas le goût de me présenter à toi en te disant que je suis beau, intelligent, riche, sensuel, fort et délicat. Je n'ai pas non plus le goût de te dire que je suis le contraire de tout cela. J'ai le goût de me présenter tout simplement en te racontant quelques souvenirs, en te donnant des flashs de ma vie pour te donner des échantillons de ce qui me touche. Je te dirai aussi un rêve.

Et je te laisserai le soin de deviner qui je suis.

J'ai été très fier de transporter il y a quinze jours à l'arrière de ma voiture les deux filles d'un ami. Elles ont neuf ans et douze ans.

J'ai aimé découvrir qu'une femme, que je côtoyais depuis des années (dans un couple d'amis), avait de réels talents d'artiste; j'ai aimé l'épauler dans la découverte de ses talents.

J'ai aimé aider la femme qui fut pendant plusieurs années la compagne de ma vie à se monter une boutique de mode en tant que conseiller, adjoint et balayeur.

J'aime errer sur les routes de la vieille Europe ou de l'Afrique du Nord et découvrir par hasard une vieille église romane ou un village qui semble émerger d'un autre siècle — et que les guides touristiques ont bizarrement oublié. J'aime m'installer sur le bord d'un ruisseau et pique-niquer en contemplant le paysage. Il est important pour moi qu'il y ait à ce moment une femme à mes côtés.

Je me suis découvert cette année un nouveau plaisir: celui d'écrire. Depuis des années, je cherchais pour mes élèves des textes faciles à lire, susceptibles de les intéresser et que j'aurais plaisir à leur faire travailler. Fatigué de chercher en vain des textes satisfaisant à toutes ces conditions, j'ai décidé de les produire moi-même. J'ai d'abord été très réticent en face de cette tâche (ne me prenais-je pas pour quelqu'un d'autre?). Finalement, j'ai réussi à prendre tout cela avec un grain de sel, et à prendre un réel plaisir à écrire quelque chose qui est en train de devenir un véritable manuel.

J'aime me promener en ville, faire le tour des galeries d'art, découvrir un nouveau peintre, flâner dans les boutiques, m'acheter une affiche ou une gravure ancienne.

J'ai aimé, il y a quelques années, aller montrer mes photos dans la galerie d'art que je considérais comme la meilleure de Montréal et avoir la surprise de voir le directeur de la galerie envisager immédiatement la possibilité d'une exposition.

J'aime préparer un repas quand je sais que je le partagerai avec quelqu'un. J'aime aussi qu'on m'invite à partager un souper.

J'aime me promener dans la nature, j'aime voir les plantes pousser.

J'aime, même dans une relation amoureuse «établie», le moment où le désir est incertain. J'aime sentir le désir de ma compagne monter, s'apaiser, disparaître, réapparaître. J'aime être attentif à la vie du désir.

Voilà ce qui me touche, des choses simples en rapport avec mon travail, l'amitié, les arts, le plaisir de serrer une femme dans mes bras, le plaisir de partager un repas ou de voir la neige fondre au mois de mars. Ces années-ci, je lis peu, je suis peu actif sur le plan artistique, je suis plutôt à la recherche des plaisirs les plus simples de la vie.

J'aimerais maintenant te dire un rêve. Je ne te demande pas d'être conforme à ce rêve-là, je sais que tu es une femme réelle, pas une femme de rêve (et moi d'ailleurs je ne suis pas non plus un homme de rêve). Je te livre simplement ce rêve pour te permettre de mieux me connaître et de savoir si tu as le goût de communiquer avec moi.

Je rêve d'une personne sensible, capable de percevoir les nuances d'un sentiment, la délicatesse d'une caresse ou d'une attention qu'on lui porte, et capable de donner en échange des attentions semblables. Elle s'intéresse à quelque chose dans lequel elle peut cultiver sa sensibilité, par exemple à une forme d'art ou d'artisanat, à la décoration intérieure ou encore à l'art de s'habiller...

À part cette sensibilité qui nous rapproche, elle a une personnalité différente de la mienne, des intérêts différents des miens et des idées différentes des miennes (moi, par exemple j'aime les choses simples; elle, elle aime peut-être ce qui est sophistiqué). Ces différences lui semblent aussi importantes que les différences physiques entre le masculin et le féminin; elle est capable de respecter son compagnon dans ses différences et elle entend être respectée dans ses propres différences. Cela est pour elle une source de découvertes et d'enrichissement mutuel.

Un des plaisirs de la vie amoureuse est pour elle de se découvrir au travers de son compagnon et d'aider son compagnon à se découvrir, et de découvrir ensemble quelques aspects du vaste monde.

Elle a sans doute des «bibites», comme tout le monde; elle n'est quand même pas submergée par ses problèmes. Elle est consciente de ne pas être sans défauts et il lui arrive de reconnaître ses limites.

Elle est dans la trentaine ou dans le tout début de la quarantaine et elle n'a actuellement pas d'homme dans sa vie, il y a donc des chances qu'elle ait été déçue par certains hommes. Elle est quand même prête à parier encore une fois. Elle préférerait une relation durable plutôt qu'une aventure de quelques semaines ou quelques mois. Elle n'a pas encore écarté le désir de rencontrer prochainement l'homme avec qui elle vieillira...

Rêvons. Elle n'est probablement pas une beauté rare, mais elle aime son corps. Elle est loin d'avoir le goût d'être sexy 24 heures sur 24, elle veut d'abord se sentir à l'aise. Mais — je rêve — je la vois arriver avec un sourire enjôleur, elle a mis un grain de fantaisie dans sa coiffure et s'est maquillée; un décolleté coquin laisse deviner un soutien-gorge élégant et raffiné: elle sait que j'aime qu'elle me dise ainsi que son corps a le goût de célébrer le plaisir et l'amour.

Rêvons encore: la Princesse(!) a des enfants encore en bas âge; il nous arrive de les trouver dérangeants quand ils viennent nous réveiller le dimanche matin par exemple, et qu'ils nous empêchent de nous réveiller (l'un l'autre) à notre façon; nous les chicanons alors, mais pas trop fort, et nous sourions de la situation...

Ses enfants sont *ses* enfants. Elle entend bien en garder la responsabilité et elle tient à ce que ses enfants ne soient d'aucune façon victimes de sa vie amoureuse; elle aimerait quand-même être épaulée par un homme pour leur éducation.

Et encore?

Physiquement, je suis plutôt du type grand mince (5' 11", 160 livres). Mes cheveux sont châtains et mes yeux noisette. Je porte des lunettes. J'ai une barbe taillée très courte.

J'ai un léger accent. Je vivais encore en France il y a 18 ans. Mais c'est au Québec que je me sens chez moi, et je traverse rarement l'Atlantique.
J'habite sur le plateau Mont-Royal.
Je vis seul depuis quatre ans.

Voilà, femme réelle, qui je suis.
Je préférerais une femme réelle, très imparfaite à ma femme de rêve...
Veux-tu me faire sortir de mon rêve?
As-tu le goût de me connaître davantage?

Adam, 42 ans, enseignant

Aéroterrestre

Grand et mince, 6' 0", 150 lb.
Cheveux et yeux bruns, belle apparence.
Dix doigts, deux bras, une tête, enfin bref,
la beauté physique étant tellement relative...
Je suis plutôt doux, souriant. Logique et réfléchi,
et la plupart du temps, de bonne humeur.

Une histoire simplifiée

Voici la triste (!!!) histoire de mon célibat. Un peu trop simplifiée bien sûr, mais avec un fond de vérité.

— Elle m'invite à souper chez elle. En profite pour me présenter sa fille, tout est parfait. Après le repas, elle me pousse au salon, pour lui permettre de refaire briller sa cuisine. Crac... je sens que je redeviendrai célibataire bientôt: je n'aime pas les femmes d'intérieur.

— Je dois prendre rendez-vous deux semaines à l'avance pour la voir et prévoir ce que nous aurons le goût de faire ce soir-là. Crac... je n'aime pas planifier.

— Je me réveille par un beau matin de juillet; un bon vent m'attire irrésistiblement vers mon lac préféré, mais je n'arrive pas à oublier qu'elle n'aime pas la voile, et a préféré rester seule à tricoter, toute compatissante. Après l'été, vient la fièvre du ski, et je n'ai plus besoin de chandails. Cr...

— Les soupers le samedi soir chez la belle-mère. Non, je n'ai rien dit sur ce sujet, je retire mes mots... Oserais-je mettre un «crac...» ici?

— Je lui plais, elle me plaît, mais l'étincelle magique n'y est pas... Le «crac» se fera de lui-même.

Par contre... Si...

— Elle aime rire, rêve d'une vie agréable, et pas trop routinière, adore la nature, mais préfère la ville pour ses activités culturelles; son travail lui plaît beaucoup, mais ne prime pas sur sa vie personnelle.

— Elle n'a pas besoin de se libérer puisqu'elle se sent déjà égale à «n'importe qui». Un peu folle, très sensible, et si elle est jolie en plus...

Peut-être m'écriras-tu une fin à cette petite histoire déjà trop longue?

Au plaisir de te lire,

Aéroterrestre, 30 ans, mécanicien-machiniste

P.S.: J'ai voulu ce texte bref et un peu superficiel, mais il reflète tout de même une partie de ma personnalité.

Après

J'aime surtout la vie, la vie de nous tous, ce que le monde fait,
que ça grouille, que le soleil se lève, que la joie, la peine,
le bonheur, la solitude se manifestent.
Tu es active, tu bouges, tu n'as pas plus de temps que moi, tu cherches
la complicité, l'échange, la douceur, la stimulation, l'intimité.
Pour comprendre le titre il faut lire jusqu'à la fin...
Bonne lecture!

La porte en avant

Je suis d'origine anglaise, j'ai 34 ans et j'ai grandi à Montréal. J'aime la ville, j'aime mon travail (travailler aussi) je m'intéresse aux choses publiques et aux démarches collectives.

J'ai une fille (superbe) de 7 ans, je suis séparé depuis 3 ans, je m'occupe bien de la maison et des détails de la vie. Je vis pour le travail mais aussi pour les fantaisies grandes et petites. J'aime faire les choses en équipe (travail et plaisir) mais j'aime aussi et autant l'intimité et la solitude.

Je ne fréquente pas beaucoup le cinéma et les diversions passives et je ne suis pas bon en gros party. J'aime danser quand il y a de l'espace et de la bonne musique (j'aime mieux le rock & roll). J'aime bien les soupés avec des amis.

Mais j'ai tendance à ne pas m'exprimer assez... je renferme plutôt ou je garde en dedans pour le sortir plus tard, des fois trop tard.

Je n'aime pas me sentir coincé. Je n'aime pas le fils d'attente ou les questions trop proches si ce n'est pas le moment d'y répondre.

Le respect, l'espace, l'ouverture, font fleurir en moi la confiance et l'amour.

Je suis trop sensible à la critique et je me sens critiqué rapidement. Je ne me défends pas assez sur le coup mais je me renferme et alors la fleur perd de sa fraîcheur.

J'ai passé plusieurs années qui étaient pour moi assez dures mais je suis heureux par ce que j'ai découvert et je n'en veux presque plus à mon ex.

Maintenant je suis prêt.

Je voudrais rencontrer une femme qui a aussi passé ses temps durs (tous doivent y passer je crois) avec ou sans enfant, avec ou sans envie d'en avoir.

Tu as une profession ou une activité accaparante parceque nous pourrions alors se comprendre et trouver une complicité commune pour le travail.

Tu es vive, «on the go», aime beaucoup de choses, t'intéresses à la vie publique, la politique, ce qui touche les gens. Tu es ambitieuse et veux tout faire...

Nous nous plaindrons toujours d'en avoir trop à faire et nous le ferons toujours. Tu as besoin d'un appui, d'introduire une personne stable dans ta solitude.

Je ne suis pas très fort sur le gros maquillage ou l'habillement toujours chic. J'aime plutôt le naturel et des vêtements confortables mais bien, jolis même.

Je suis entouré d'amis doux et gentils, de collègues et camarades de travail, mais... une relation amoureuse ne semble pas arriver par la porte en avant.

Peut-être par la boîte aux lettres?

Après, 34 ans, coordonnateur
d'un organisme conseil en logement

Note de l'éditeure: Les fautes du texte de *Après* n'ont pas été corrigées afin de garder à ce texte son charme particulier.

Arlequin

Deux yeux, un nez, une bouche, un demi-sens de l'humour.
Artiste manqué (comme plusieurs étudiants en droit!)
Un peu poète, un peu tranquille…
Cherche quelqu'un d'extraverti, qui aime parler, s'exprimer;
elle trouvera une oreille attentive.

La pêche au bonheur
ou
Impressions sur La Boîte à mots

À l'eau, à l'eau
La mer appelle
Les pêcheurs s'en iront
À la vague rebelle

Sur un monde hermétique de gratte-ciel et de clochers
S'ouvre un oeil criblé d'étoiles,
               de croix
                      et de néons
  (étrange fenêtre
         grève nue
             sable amer où vient mourir
        l'éternel roulis des ombres
  emprisonnées dans les murs)
C'est l'époque des grands départs
         de l'Inquisition
        et de la découverte de l'Amérique
Depuis peu l'homme marche sur la lune
Il fait les cent pas dans la Mer de la Tranquillité
Rêvant à l'éclat de son bateau de bois sur l'horizon
     les cordages qui se tendent
     les voiles de feu illuminant un ciel d'ivoire

J'ai depuis longtemps atteint l'âge raisonnable
Je sais de l'innocence tout ce qu'un homme doit savoir
Et debout sur ce quai de lumière et de bruit
J'attends

      le retour des pêcheurs d'étoiles
      leurs filets ruisselants d'images brûlantes et folles
      le sang d'un soleil ivre
      les tierces malades des clochers du dimanche
      et le bruit des arbres dans les vagues qui rient

          Adieu, adieu
          La mère pleure
          C'est son fils qui s'en va
          À la pêche au bonheur

J'ai depuis longtemps atteint l'âge raisonnable
Je sais de l'innocence tout ce qu'un homme doit savoir
Et le monde à travers une immense fenêtre
      me regarde de ses grands yeux d'orphelin
Ses yeux fardés au bleu de méthylène
Son sourire de tigresse affamée
Sa bouche écarlate et sucrée
          comme un bonbon à la naphtaline
     ...et son orgueil apprivoisé de jeune débutante
     (nudité féroce de pénombre sculptée au fer rouge)

            ***

    Le soleil se couche parfois
    Sur les vastes champs de macadam
    Et sa robe martelée de couleurs flamboyantes
    saigne doucement
    Le long des structures de vitre et d'acier

    L'encens coloré des cheminées s'élève
    Troupeau de nuages enflammés
    Embrasant le ciel métallique
    d'une poussière de carbone

Des édifices chancelants
Ombres de jambes élancées courant vers l'horizon
S'agitent dans un jour qui bascule

***

Ma vie s'ouvre sur un théâtre de ruelles et de clochers
Où les feux de la rampe scintillent comme des néons sauvages
La magie du théâtre rend les voix comme des klaxons de voitures
Et les applaudissements comme des sifflets de train...

***

La nuit se consume
À la lumière des néons et des phares
Feu
      vivant brasier de lucioles
Danse et court dans les rues
      comme un grand rire étincelant
Crépite dans les yeux des passants éblouis

Minuit
Signature du néon sur une porte fermée
Soleil
     sang d'alcool
           robe de flamme sur le parquet

Cri sourd de la foule
Étouffé par la voix des sirènes et des klaxons
Roulant à toute vitesse vers le carrefour de mes pensées...

Et je vis de cet air que respirent les bohémiens
Libre comme un songe sous des draps de paupières.

Arlequin, 21 ans, étudiant en droit

Aube

Oh, Rayon vert,

Attablé au Commensal devant un souper léger (hum! ici, c'est au poids…), de retour à Montréal après 12 ans d'activités fébriles, de voyageries et de recueillement près du Cap Tourmente, il me prend goût de vous écrire.

Pourquoi parler du *Rayon vert*, film d'Eric Rohmer? C'est vrai que j'ai été ému, touché par son film et par la finesse, la sensibilité fragile — mais sans compromis — de la comédienne principale… Mais ce qui m'a rejoint au fond, je crois que c'est cette sorte d'espoir, que nous avons tous — et toutes — enfoui en nous, qu'il existe quelque part un autre être humain qui pourrait vibrer au même diapason, avec autant d'intensité et de fragilité que soi.

Idéaliste, rêveur et romantique, dirais-tu. Oui, mais ça ne m'empêche pas d'être également réaliste, débrouillard, et je crois que les êtres humains sont multiples et même, comprennent en eux-mêmes leur opposé. D'où la bizarre impression que je ressens en composant cette lettre… un mélange de désirs de communiquer, de me laisser aller là-dedans, une légère crainte face à l'inconnu et à l'artificialité de toute démarche qui tend à provoquer le hasard.

Mais la vie nous emporte si vite!

Le temps, le temps, j'ai un problème avec lui, car comment pourrait-on me donner 39 ans? Peut-être est-ce dû à ma minceur ou au fait que j'ai l'air d'un étudiant ou d'un «prof», quand je suis en ville, ou que j'ai l'air d'un coureur des bois ou d'un jardinier, quand je vis à la campagne.

Je me situe… avant de vous perdre. Voici. Ancien architecte, agriculteur biologique durant l'été, potier à mes heures, j'ai décidé en septembre '86 de retourner aux études — en urbanisme — histoire de me retremper dans le bain des problèmes urbains et d'environnement.

Me décrire?

Commençons par l'écorce.

Svelte, 5' 9", yeux bruns, cheveux bruns et barbe bouclée, belle tête quand je réussis à me peigner, une paire de petites lunettes rondes repose sur un nez plutôt grec.

Plutôt fantaisiste, peu conformiste, blagueur, j'aime rire et sourire. Sociable, j'aime rencontrer des gens, fêter, danser à l'occasion quand le goût me prend. J'aime bien faire ce que je sens, ce que mon instinct me dicte. J'aime pas me sentir obligé: ce goût de liberté, je le respecte aussi chez l'autre.

Imagination furibonde, intuitif et bâtisseur, j'ai toujours quelque projet en tête, quelques bonnes idées à réaliser. Et j'en réalise une ou deux par année...

Mon analyse graphologique (IPS) dit: «Indépendance d'esprit très prononcée... Vous avez besoin de la pleine liberté de vos mouvements... Seules vous attirent et vous séduisent les personnes ayant un caractère vraiment personnel.»

Eh oui! Produire ce petit texte descriptif m'a incité à fouiller dans mes vieux papiers et à y retrouver l'analyse graphologique de mon écriture lorsque j'avais 17 ans! Et le plus drôle, c'est que ce texte de 14 pages est encore vrai.

«Souci de perfectionnement, recherche de sécurité intérieure, vulnérabilité, sensualité, curiosité, charme, etc.»

Ce matin, au sortir d'un rêve que j'aimerais bien raconter, je me suis posé la question: «Qu'est-ce qui est primordial pour moi dans ma relation avec une femme?»

Je crois que c'est l'ouverture d'esprit et de cœur, la possibilité d'établir un climat de confiance, de communiquer quoiqu'il advienne, de pouvoir se laisser aller à soi-même, à son propre épanouissement sans avoir peur de brimer l'autre. Je sais qu'un tel engagement — ressenti — demande du temps..., peut-être l'œuvre d'une vie entière.

Je ne souhaite plus vivre une passion aveugle, car je crois très important de choisir sa partenaire: Ça implique de laisser naître le goût de se voir, d'échanger, de respecter le rythme propre à chacun(e)…, donc ne pas «se perdre» trop vite, s'oublier pour l'autre.

Je crois que l'amour-amitié peut exister entre hommes et femmes. C'est cela que je recherche avant tout. Pour moi, un couple, c'est formé de deux entités qui partagent, au gré de leurs goûts, leurs désirs, certaines activités, voire leurs vies, leur maison ou leur appartement.

Former un couple, ça suppose bien des affinités, des «atomes crochus», tout autant du côté de l'«être» que celui de l'«avoir». Pour moi, ça suppose également l'autonomie de chacun, donc également des champs d'intérêts et d'activités qui peuvent être distincts et, qui sait, s'alimenter l'un l'autre.

Par exemple, j'aime lire et jaser de mes lectures. J'aime écrire, parler de mes rêves, philosopher sur la vie, l'avenir, les relations humaines, l'amour. J'aime écouter l'autre raconter sa vie, ses espoirs.

En fait, je veux vivre le plus intensément possible, et me préserver aussi de beaux moments de calme, de sérénité — à la campagne — pour continuer à comprendre la vie, à intégrer ces événements, ces sentiments — même la mélancolie, la révolte — dans mon cheminement intérieur.

J'aime voyager, j'adore la mer. J'ai vécu durant deux ans en France, plusieurs mois — éparpillés — dans le Sud. Mais, j'aime le dépaysement, pas l'embourgeoisement. Un exemple? Bien difficile pour moi de m'installer dans un hôtel de luxe à proximité de bidonvilles où croupissent des paysans mal nourris.

Je voyage quand même, avec plus de simplicité, pour me rapprocher des gens, les comprendre et les aimer… mais aussi, pour prendre un bon repos. C'est si relaxant de se prélasser sur une plage au sable fin en écoutant la mer roucouler ses vagues parmi les cris d'oiseaux.

Ce que je cherche et aime chez une femme?

Attirante et naturelle, sans fard
Du charme et du raffinement
Sensuelle, qui aime toucher (moi aussi)
Des cheveux à caresser (si possible)
De la douceur, du cœur
Sociable mais discrète
Un brin folle et romantique
Spontanée, mais capable de sérénité
De la beauté, qui est une forme de transparence de l'être
De la passion (par vagues, comme le fond de la mer) et
De l'équilibre qui s'en ressent
Et peut-être un peu semblable à mon «anima»
Plutôt féministe, pas trop radicale
Aimant la campagne assez pour y vivre
Peut-être une artiste ou quelqu'un qui crée…
De l'art, de la poésie, des enfants ou quelque chose
De ses dix doigts
Qui s'intéresse à quelques-uns de mes champs d'intérêt
    et me parlerait des siens,
Qui voudrait bien, me rencontrant au hasard
D'une rue, d'un parc ou d'un marché de fleurs
Continuer avec moi sa conversation intérieure

J'aime l'aube

Aube, 39 ans, intervenant (professeur)

Autotype

Bien que mon texte soit basé
sur un modèle d'automobile,
je ne suis pas un maniaque des voitures.

Bien que la formule de La Boîte à mots soit des plus originales pour créer des liens de communication, il n'en demeure pas moins très difficile de construire un texte sans donner l'impression que l'on a quelque chose à vendre, ou que l'on recherche quelque chose. Participer à La Boîte à mots, c'est un peu «offrir» sa personne sur le marché des individus libres en espérant que l'on trouvera enfin la personne idéale. Participer à La Boîte, c'est un peu aussi «magasiner» par catalogue où l'image physique est abstraite et remplacée par la personnalité d'un individu exprimée par l'écriture.

Toutes ces raisons font que je ne me sens pas très à l'aise pour m'exprimer sur moi-même et mes caractéristiques. Je vais plutôt vous décrire l'automobile que j'ai présentement à donner et la future propriétaire que je recherche. (On s'attache beaucoup à une automobile et on ne veut certainement pas la donner à n'importe qui!)

Nom: Autotype
Modèle: sport, compact et très classique
Fabrication: entièrement fabriquée au Québec
Année de fabrication: 1954
Couleur: carrosserie blanche, toit roux foncé *
Empattement: 66"
Poids: 140 lb
Certification: Certifié biochimiste

* Les couleurs varient légèrement avec les saisons

Caractéristiques spéciales:

Un petit coup d'œil à l'intérieur nous fait découvrir qu'il s'agit d'un modèle deux places uniquement, qui assure confort et sécurité aux passagers.

Bien que ce modèle n'ait jamais contenu de siège d'enfant, le manufacturier a prévu un endroit idéal où il sera très aisé d'en installer un.

Le modèle vient équipé d'une radio AM-FM cassette. La syntonisation automatique des stations a été faite sur CIME et CFGL. Le plus souvent cependant, la radio est délaissée pour faire place à la musique sur cassette (très utile pour les voyages) où Chris de Burg et Kitaro reviennent le plus souvent. Fait à remarquer, il n'y a pas de cendrier à l'intérieur, ni d'allume-cigarette. Le véhicule est donc totalement inadapté à toute personne qui ne peut se passer de fumer.

Avec le véhicule, je donne aussi un support à skis (randonnée et alpin); très utile lors des fins de semaine des mois d'hiver. Pour l'été, le support à skis est transformable en support à bicyclettes; aussi très utile pour les vacances estivales.

Un petit coup d'œil à l'intérieur du coffre nous fait découvrir beaucoup de choses diverses: raquettes de tennis et de badminton, tente pour le camping et les voyages, pelle pour le jardinage, caméra, et même quelques billets pour Les Grands Explorateurs. On y trouve aussi un amoncellement de vieux livres absolument pas sérieux: *Hagar le Vicking*, *Snoopy*, etc.

Un essai routier nous permet de découvrir que la mécanique est en excellente condition. Le moteur est fringuant et honnête. Très silencieux, il ne dégage aucune fumée et consomme très peu (un peu de vin rouge avec les repas).

Dernier point à signaler: le modèle a déjà été endommagé suite à un accident de parcours. L'ancienne propriétaire conduisait d'une façon imprudente et abusait des capacités de l'engin. Aujourd'hui tout a été réparé et rien n'y paraît.

Maintenant que vous connaissez les particularités du modèle que j'ai à offrir, je vais m'attarder sur les caractéristiques recherchées chez la prochaine propriétaire.

La propriétaire:

Comme il a été spécifié précédemment, la machine est de type compact. Bien que le siège soit ajustable, certaines limites de grandeur sont nécessaires pour être assise confortablement dans l'habitacle.

De plus, les caractéristiques sportives du modèle feront que la prochaine propriétaire devra adopter une conduite sportive lorsque la situation l'exigera. Cependant, il n'est pas recommandé d'abuser de la machine et le plus souvent une conduite douce et facile est de rigueur.

Aucune expérience de la conduite n'est exigée, mais une personne ayant déjà conduit ou ayant déjà été impliquée dans un accident de parcours est certainement favorisée.

Alors, si le modèle vous intéresse et que vous voulez en savoir davantage, ou même désirez faire un essai routier, communiquez sans hésitation avec La Boîte à mots.

Autotype, 31 ans, biochimiste

P.S.: Je ne recherche pas de mécanicienne
pour le moment.

Bernard

À partir d'un attrait physique et affectif vivement partagé, je souhaite poursuivre avec une compagne le cheminement déjà amorcé par chacun vers la réalisation de soi.

À la source d'un grand amour, je voudrais accueillir cet attrait irrationnel tout autant que la puissance de l'amitié, n'estimant pas plus le dépassement désincarné que l'angoisse sordide.

Le chemin, bien sûr, ne s'arrête pas là. J'estime que la persistance de l'amour appelle l'harmonisation euphorique de la sensualité, la fusion extatique de la sexualité et l'intelligence du cœur; elle doit tendre vers un partage spirituel résultant de la conscience du soi et de l'univers.

Adepte de la méditation, je suis un homme pour qui la croissance personnelle et les rapports humains devraient primer sur le travail et la réussite professionnels. Divorcé depuis plus de de six ans, j'éprouve l'estime et l'affection de mes deux filles et de mon fils, maintenant dans la vingtaine. Acclimaté à vivre seul, je sais bien recevoir ceux que j'aime et je n'ai nul besoin de mère ou de servante.

De taille moyenne, les yeux pers et les cheveux châtains mais clairsemés, je ne crois pas trahir ni physiquement ni mentalement mes 54 ans. Sans bousculer personne, je cherche à respecter ce qui peut accroître la qualité et la durée de la vie.

Je me reconnais dans les musiques baroques et classiques et je peux généralement correspondre aux musiques romantiques, contemporaines ou populaires. Je me passionne des écrits de ceux qui, de partout et à toute époque, s'intéressent à l'essor de l'humanité. Amateur d'arts, de théâtre et de cinéma, je cherche à m'ouvrir à l'expression contemporaine.

Je pratique le ski de randonnée, le patinage, la marche, la natation et le cyclisme. Le voyage et la mer exercent sur moi un effet vivifiant qui m'est nécessaire.

Je suis particulièrement sensible à l'attrait d'une femme qui, partageant mon approche de la vie, présente un visage jeune et expressif, une taille délicate et une chevelure foncée. Moralement, elle s'affirme en douceur et en simplicité.

Souhaitant demeurer profondément lucide et sincère, j'estime que ces lignes permettront d'établir plus de liens d'amitié que d'amour... et pourtant — je l'avoue sans pudeur mais avec l'impatience d'engager l'éternité — pour celle dont les attentes correspondraient aux miennes, je voudrais me rendre merveilleusement vulnérable...

Bernard, 54 ans, directeur, juriste et professeur

Bleu-vert

5' 9", 150 lb, on me dit assez beau (est-ce suffisant?).
Quelquefois impatient, sens de l'humour, autonome, conscience sociale,
passionné, tendre rêveur (mais quand même réaliste).
Sportif (de l'esprit comme du corps), capacité d'aimer et d'être aimé
(plus, plus), pas envahissant, sincère.
Désire rencontrer une fille ou une femme (est-ce la même chose?),
22 à 30 ans (peut-être plus mais pas moins),
ayant des activités et intérêts communs.*
Pour relation amoureuse (amitié)
basée sur le respect de l'autre et de soi.
*Je me dois de dire que je n'éprouve aucun attrait pour les personnes
ayant un peu trop de poids. Mille excuses. Fumeuses: s'abstenir.

Le voyeur

Un voyeurisme bien innocent que le mien; presque toujours discret. Frondeur... presque jamais! Dans les lieux publics, j'observe, je détaille les physionomies, analyse gestes et démarches, questionne les mimiques, guette les réactions. Cela, parce que je suis captivé par la beauté extérieure, autant qu'ému par l'autre, celle de l'intérieur (t'en fais pas, si t'es belle à l'intérieur, ça déteint sur l'extérieur), que je chéris lorsqu'elle habite les gens qui me côtoient.

Je l'ai dit plus haut, je suis un passionné. Une passion qui m'a mené très haut, mais aussi bien bas. C'est en sillonnant les années de ma détresse que la solitude m'est apparue sous ses jours les plus angoissants. Des semaines, des mois me furent nécessaires pour que je parvienne enfin à apprivoiser cette solitude.

Mais tout change, et je goûte maintenant avec complaisance la solitude que j'ai si longtemps subie. L'autonomie que je me suis édifiée, petit à petit, me fait découvrir la vie parée de ses plus beaux atours.

Que pourrais-je dire de plus?... Aujourd'hui je suis bien, j'ai des ami(e)s que j'adore et qui m'apportent beaucoup, un travail qui me passionne, des occupations stimulantes... Et quoi encore? La passion. Encore et toujours la passion. Celle qui me rappelle le souvenir de la pluie qui ruisselle sur mon visage alors que je cours, un soir d'octobre; le franc sourire d'un(e) parfait(e) inconnu(e) dans un grand magasin ou ailleurs... nulle part. Qu'importe, la complicité ne connaît aucune frontière.

Ce qui finalement, m'envoûte, me séduit par-dessus tout, c'est la vie. Cette chienne de vie qui m'en a fait pourtant baver et que je chéris toujours. En effet, rien ne vaut le souvenir d'avoir été bien bas pour sentir que je crève maintenant de bonheur.

Mes joies auront été à la mesure de mes peines.

Si tu as le sentiment que nous pourrions échanger harmonieusement, n'hésite pas, colle un timbre sur une enveloppe et envoie-moi un mot dans lequel tu pourras me révéler tes joies, tes projets, ce pourquoi tu vis.

À bientôt... peut-être,

Bleu-vert, 27 ans, dessinateur
en conception mécanique

Bon parti

Je cherche avant tout une relation enrichissante et stimulante.
Si ça va plus loin, tant mieux, mais mon but n'est pas,
par-dessus tout, de trouver La Femme.

Dedans et dehors

Bonjour!

Surtout, n'attendez pas de moi que je vous dise si je préfère les blondes, les rousses, les grandes ou les petites. J'en serais bien incapable, et de toute façon, ce n'est pas le plus important pour moi.

Le plus important, et le plus constant à date chez moi, c'est le désir d'aller au-delà des apparences, la curiosité de comprendre ce qu'il y a derrière le rideau. Dans mes relations, dans mon comportement, mes attitudes, mes attentes. Derrière le rideau des autres aussi.

J'aime observer et permettre aux gens et aux choses de se dérouler à leur gré. Le temps est important malgré un mode de vie souvent bousculé.

Je ne suis pas passif cependant. Je crois qu'on ne peut mieux s'observer et se connaître qu'en agissant. Je suis tolérant à mon égard autant qu'envers les autres. Faire des gaffes, c'est le secret de l'apprentissage!

Je ne peux pas dire que je cherche absolument une relation amoureuse. En fait, je ne suis pas tellement certain de ce que c'est vraiment...

Je voudrais plutôt rencontrer quelqu'un dont je peux être proche, physiquement et intérieurement. Avec qui je peux partager plus que du quotidien (et pas nécessairement le quotidien). Le dehors, oui; mais le dedans aussi.

Physiquement, je fais 5' 11", 185 lb. Plutôt chauve, barbe blonde et rousse. Non fumeur.

J'ai bien certaines préférences, certaines intransigeances et certaines indifférences, mais j'ai plus le goût de dire ici mon ouverture à la vie, mon désir de toucher le dedans et le dehors (le mien et celui des autres). Je veux rencontrer des gens qui sont debout, qui cherchent, tombent, rient d'eux-mêmes, se relèvent et continuent...

Bon parti, 36 ans, gestionnaire

Bozo

Bonjour à toi,

Comment vas-tu? Bien j'espère. Moi ça va pas pire et en y pensant un peu, ça va très bien. C'est vrai, je mange tous les jours, j'ai un toit pour m'abriter, je suis en bonne santé et j'ai un bon emploi. Plusieurs n'ont pas ça. Une seule ombre au tableau: la solitude. Ce besoin d'aimer et d'être aimé, de se sentir utile à quelque chose.

Me voilà donc inscrit à La Boîte à mots face à une page blanche que je dois remplir de choses intelligentes. Je vais donc te parler un peu de moi.

Je suis présentement âgé de 26 printemps, étés, automnes, hivers. La teinte brune colore mes cheveux et le bleu en fait autant avec mes yeux. Je mesure 5' 10" et je fais osciller la balance dans les 160 lb.

Je suis un gars simple avec le sens de l'humour, mais la timidité me bloque quelquefois. La douceur, la franchise et l'honnêteté me caractérisent également. Je suis très sensible et affectueux.

J'adore la nature et la campagne. J'habite d'ailleurs à une quarantaine de milles au nord de Montréal. Plusieurs de mes activités s'axent sur la nature. Par exemple, lors de mes vacances, je visite des coins comme la Côte-Nord et la Gaspésie. L'été, je pratique surtout la bicyclette, la natation, la pêche, le canot, le camping et les ballades en auto. L'hiver, c'est plus tranquille avec le patin et le ski alpin.

J'aime bien également écouter de la musique, visionner un film au cinéma, aller au restaurant ou voir un bon spectacle.

Et si on parlait un peu de toi maintenant? Je ne suis pas très exigeant, tu sais! J'aimerais que tu aies entre 20 et 26 ans. Que tu sois simple, honnête et sincère. Pour moi, l'honnêteté et la franchise c'est très important. Je n'aime pas qu'une fille soit autoritaire, pas plus que je ne le suis. J'aime que l'un et l'autre se respectent mutuellement pour ce qu'ils sont et ce qu'ils aiment.

Voilà pour ce bref autoportrait. Je dois avouer que je préfère la discussion à l'écriture.

Passe une bonne fin de journée et à la prochaine, peut-être!

Bozo, 26 ans, journalier

Carl

La Boîte à mots me permet de donner un coup de pouce au hasard, au hasard d'une lecture qui pourrait résulter en une rencontre qui n'aurait rien d'un hasard!

Qu'écrire?

Telle est la question que je me pose. J'aimerais n'écrire que deux mots, deux mots qui révéleraient tout: qui je suis, ce que j'aime, mes désirs, mes attentes.

Mais comment, en deux mots décrire tout cela?

Je suis plutôt introverti, mais je sais m'ouvrir aux gens que j'aime et qui me connaissent bien. J'ai même des talents naturels de comédien et un bon sens de l'humour, un humour quelque peu débridé et ding-dongnesque.

Plus sérieusement, je suis très réceptif et j'adore écouter les gens, bien qu'il m'arrive d'être un véritable moulin à paroles lorsque je me sens vraiment bien avec mon interlocuteur.

Je suis compréhensif et loyal, un peu timide mais très avisé, et j'ai des goûts et des passions simples.

J'aime les arts en général, avec un faible pour la peinture, la photo, le cinéma et le théâtre, sans oublier la bande dessinée, médium que je pratique moi-même à l'occasion.

Sur le plan activité physique, j'adore le tennis, aime bien la marche et raffole des randonnées cyclistes.

J'aime aussi la quiétude du foyer et admets être quelque peu pantouflard, mais je ne refuse jamais une sortie intéressante et suis ouvert aux nouvelles expériences.

En me relisant, je me rends compte que je suis en train de dépeindre le portrait de «monsieur tout le monde».

Mais je ne prétends pas être autre chose que ce que je suis. Je ne suis pas Superman, pas plus que je ne suis le dernier du commun des mortels.

Je ne suis qu'un homme avec ses qualités et ses défauts, qui a envie de partager son quotidien avec une compagne ayant le même goût pour la vie avec tout ce qu'elle comporte d'épreuves et de défis, mais aussi de moments privilégiés.

Je pourrais te parler de moi et de mes aspirations sur plusieurs pages encore; un être humain ne se définit pas en deux mots, n'est-ce pas?

Mais une introduction étant ce qu'elle est, je terminerai donc par la brève et inévitable description de mon apparence physique.

Je fais 5' 10", 180 lb, ai les yeux bruns et les cheveux châtain foncé.

Voilà pour la topographie, d'autres détails dans le prochain numéro.

J'attends de tes nouvelles,

Carl, 29 ans, ouvrier

Chamois-béluga

Bon pied, bon œil (bleu)
Châtain d'hiver, blondin d'été
5' 07" et 160 lb... sans «pot» de bière
Du sourire plein les dents, taquinerie plein la tête
et de bonnes antennes pour l'empathie.
Cherche personne similaire ou différente
pour inventer ce qui nous plaira
Coucous ayant l'habitude de pondre les œufs des autres oiseaux
dans leur propre nid et vice versa, s'abstenir.

Je laisse parler les mots. J'ai pris mon temps à bien les choisir: je veux vous rencontrer, mais je veux aussi pouvoir m'y rencontrer en les relisant. Ces mots-ci sonnent juste, comme une guitare bien accordée. Aimerez-vous la mélodie?

«Lassé des bars, je cherche une rencontre véritable...» Je ne connais pas les bars, je ne crois pas à la profondeur des rencontres que l'on peut y faire. La Boîte à mots me semble tout de go être un meilleur moyen.

Je refuse d'inventer tout seul «ce que je veux très précisément». Comme le renard et le Petit Prince, je préfère le découvrir avec vous. On verra bien jusqu'où s'amenuisera la distance. Pas de «je-ne-veux-rien-savoir» ou «d'amour-à-tout-prix». Entre le blanc et le noir, la porte reste ouverte à plusieurs couleurs, mais pas aux gris.

Si vous désirez partager, expérimenter ou discuter des idées, des goûts, des passions, si vous êtes du genre à vous imprégner d'une toile une bonne demi-heure au musée, simplement parce que ça clique, si les feux d'artifice vous sont encore magiques, s'il vous arrive de tout lâcher pour sauter dans votre auto ou grimper sur le toit de votre logis afin de mieux voir un coucher de soleil, alors continuez de lire, vous ne perdez peut-être pas votre temps.

Doctorat en robotique, passionné des cathédrales romanes et gothiques, amoureux fou de Chartres; décortiqueur en sciences, contemplatif en voile devant les baleines et le ciel éclaboussé d'étoiles. Allez comprendre. Puis non, n'allez pas comprendre. Venez goûter, venez danser une petite valse à trois temps.

Deux temps pour l'avant-goût: un temps de préambule, un temps de consolidation. Si, à l'expérience, ce ne peut être qu'une valse à deux temps, «sans rancune», mais pas nécessairement «rideau». Suffit de ne pas jeter le bébé avec l'eau du bain.

Si l'avant-goût nous a plu, si ça nous tente ou si, à la simple pensée de se voir le cœur sursaute, l'énergie apparaît, alors on se compose un petit menu sans arrière-goût, sans ingrédient indigeste comme «salut ma bouée, je te serre fort donc je t'aime» et «tu ne sais pas quoi, ben il faut que tu changes» en passant par «tu ne devineras jamais qui c'est qui est venu faire de la lutte à mains plates sur notre trampoline... à propos, chu ben occupé demain soir». Alors va pour le troisième temps: compagnon/compagne. Et je serais bien embêté de décrire les formes matérielles que cela peut prendre.

Je ne vous convie ni au tout-fait-d'avance, ni à l'incertitude, ni à l'aventure. Je vous invite à faire une expérience. Soyez noire, brune, blonde ou zébrée, avec ou sans enfants. Pas grave. Mais ayez votre vie: je suis un peu bourreau de travail avec le job, la recherche, le doctorat à finir. Pour être franc, je suis un peu gargantuesque et perfectionniste..., mais je le sais («mais je me soigne» comme dirait l'autre).

Bien sûr, j'aime les films, de *Bach et Bottine* à *L'apiculteur*. Bien sûr, c'est romantique et ça me plaît de verser des larmes sur le même oignon que vous en préparant un petit souper. Mais je ne dresserai pas ici la liste de tout ce qu'il y a à découvrir. D'ailleurs, c'est tellement mobile et vivant:

«...ce soir, je suis une petite fille qui veut un gros câlin», «...ce soir, je suis une grande fille autonome»; «...ce soir, je suis un petit garçon», «...ce soir, je suis Tarzan». (Je ne suis jamais Rambo.)

Ce qui a le plus de chances de prendre de l'essor? Difficile! J'ai déjà eu de grandes surprises qui donnent de belles amitiés. Le regard, une chanson, le port corporel? Saurais pas dire à priori. Une partie de la réponse peut être dans le nom de plume.

Pourquoi ce nom de plume composé? Pour le moment, la montagne m'est agréable, l'eau indispensable. Cela me plairait de savoir que les chamois renaissent en bélugas, qu'ils côtoient également la morsure du vent et la caresse de l'eau; que sans dénigrer la hauteur, ils goûtent la profondeur. Pour le moment, la voile amalgame tout cela.

So there you go! The ball is on your side of the court. If the music sounds good and the rhythm seems fine, feel free to give a call, lick a stamp or dress-up the sky with a big banner that says: "Hi there, how about knowing a bit more about one another" or "Let's get fat on a pastry and a coffee somewhere downtown... and talk with our mouth full."

Bye now.

Chamois-Béluga, 37 ans, enseignant-chercheur

Chopin

Romantique, imaginatif, aime les chats, non fumeur, grand, mince,
Poisson ascendant Bélier (Eh oui, ça existe).
Désire rencontrer femme (une)
qui ne fume pas,
qui s'aime... (est-ce redondant?).

«Je vous rapporte ça demain, madame...»

(Il était presque huit heures!)

Plusieurs jours plus tard, je livre ce texte, que vous lisez maintenant. Ce n'est pas que je ne me connaisse pas — je me connais même très bien — Ça fait 38 ans que je vis avec moi, mais donner une idée de qui je suis, sur papier, alors je sous-estimais la difficulté de la tâche. Je suis plus qu'un assemblage de qualités (longue liste), de défauts (liste encore plus longue), et d'intérêts (jamais dénombrés); une «gestalt», quoi (je ne pensais jamais me servir de ce mot, relique de cours d'histoire de l'art et de psycho, ayant servi à assouvir ma curiosité).

J'ai l'air sérieux comme ça mais, sans que je sois un «boute-en-train», on s'amuse bien avec moi. J'aime aller manger une crêpe à Québec, déjeuner au lit; j'adore les chats, et la musique... Et j'aime surtout l'amitié, la complicité dans une relation, même lorsqu'elle évolue vers l'amour.

Quant aux sports, les sports de spectateur ne m'intéressent pas tellement. J'ai particulièrement horreur du hockey et de la boxe, et je ne cours pas (ça fait tomber mes bas). En me tordant un peu la cheville, on peut m'inciter à faire plus de 100 km en vélo, jouer au tennis (pas fameux), ou au golf (passons), et j'accepte bien qu'on me taquine pour mon manque d'adresse. Le ski de fond me laisse froid.

Pourquoi Chopin? Dissipons les illusions: je ne joue pas comme Chopin. Déçue? Moi aussi! Mais je le joue, tant bien que mal, et j'adore sa musique; la musique c'est ma passion...

À part cela, je suis sensible, affectueux, romantique, attentif, mais quand même autonome; attachant, me dit-on. J'oubliais la question fatidique — de quoi ai-je l'air? Je suis grand, mince, je n'ose pas me dire modérément beau, et je préfère croire que ce qui, en moi, attire une femme, c'est moins mon physique que le fait que je suis heureux.

Chopin, 38 ans, analyste-conseil
en formation assistée par ordinateur

Claude

*De tempérament nerveux, vif, passionné. Humeur changeante mais pas
sur le fond. Intelligent, esprit alerte. Critique, curieux, créatif.
Humour blanc ou noir. Complexe et riche.
Bon papa (passable selon ma fille). En croissance pour la vie.
Sensible sans tomber dans la sensiblerie.
En bonne santé. Autonome.
Physiquement, 5' 6", 120 lb. Longiligne, style ressort. Vif.
Fait mince et menu, mais énergique. Yeux bruns, cheveux châtains.
Ni barbe ni moustache.
J'aime l'activité physique. Travailler de mes mains.
Le sport pour m'amuser et pour jouir de sensations fortes.
J'adore ma fille Rachel. Parfois, je la mettrais cependant à la poubelle
(pour deux minutes).
J'écris à La Boîte à mots pour... lisez* Survol-Esquisse.

Survol – Esquisse

Bonjour, yeux plongés dans La Boîte à mots. Boîte à maux. Langage, source de malentendus. Nécessaire apprivoisement de l'autre. Confirmation de mon unicité, de la tienne. Confirmation de notre parenté d'humains.

Boîte de Pandore, parfois, mais heureusement, boîte à musique, boîte à trésor, boîte à surprise, comme la vie. Une aventure.

Écrire c'est tout ça, pleurs de paradoxes, d'interlignes, de non-dits, d'oublis. Voilà une mise en garde pour moi-même, et pour toi, en guise d'introduction.

Suivent quelques coups de pinceaux-crayons pour me dire, pour évoquer mes paysages extérieurs et intérieurs.

Je suis de la révolution dite tranquille. J'ai vécu dans plusieurs mondes fort différents: la famille-cocon à la campagne, le choc de la banlieue et de la ville, puis le collège classique, devenu Cegep, puis l'UQAM. J'ai vécu le *flower-power*, la quête mystico-religieuse, les Troubles d'octobre, les communes, le décrochage du système, l'idéalisme-adolescent-sauveur-du-monde-et-repêcheur-de-drogués-et-de-mal-aimés.

J'ai conservé de cette expérience-tranche de vie un besoin d'une plus grande profondeur, la soif d'une «sagesse» personnelle, une méfiance et une aversion des absolus, des idéologies transformées en dogmes. J'y ai forgé le doute, la lucidité, la tolérance, l'écoute, l'humilité, la conscience de devoir trancher, prendre position et faire des choix.

J'ai fait autour d'une quinzaine de boulots différents depuis mon entrée sur le marché du travail, à 16 ans, allant de tondre le gazon dans un cimetière à plongeur, pelleteur de fumier, instructeur en horticulture auprès d'handicapés mentaux, en passant par des études en gestion de ferme, inspection de fruits et légumes et le dernier, agent de formation pour un programme-jeunesse au gouvernement du Québec.

Je me suis, semble-t-il, toujours préoccupé davantage d'être plus que d'avoirs et de carrières. Je suis cependant nettement conscient qu'une certaine liberté passe nécessairement par la liberté économique et un métier satisfaisant. La qualité de vie m'importe.

Depuis six ans et demi, soit depuis la mort de sa mère, ma femme-amie-amante, etc., je vis seul avec ma fille Rachel qui a neuf ans et demi. Dans cet intervalle, j'ai eu deux amours fulgurants de six mois environ. C'est une période où j'ai mûri et grandi beaucoup et où ce fut très dur par moments. Le tunnel est maintenant derrière moi.

La vie me fascine, m'éblouit, m'intrigue et m'effraie. L'humain me fascine. La femme me fascine. L'époque actuelle avec ses forces de vie et de mort... Je veux vivre vieux pour apprendre plus, être plus, goûter et savourer.

Moi-même, je me fascine, m'intrigue, me surprend au détour d'une tranche de vie, ou encore, l'œil fixé sur le vol paresseux d'une mouette, ou l'oreille captivée par un chant d'oiseau ou surprise par une parole de ma fille, fascinante elle aussi; ou le corps saoulé des parfums de sous-bois après une pluie chaude; ou d'amour, après une nuit longue de feux brillants et de tendresses-berceuses dans les bras d'une femme.

Je me découvre encore, riche, complexe, plein d'accouchements à venir, plein de paradoxes dont j'ai appris à rire, avec tendresse ou parfois, quand ils font mal, avec un peu de jaune ou d'humour gris. Je me découvre d'une lucidité qui fait mal par moments et qui me fait rêver, un instant, d'être parfait béotien. Quelle «ternitude» alors dans ce plus reposant.

Je crois que tout se termine avec la mort. Je ne crois pas l'avoir encore apprivoisée celle-là. C'est encore plus difficile quand tu es presque tout pour un enfant. Je me sens à la fois fragile et indestructible. J'ai mes blessures. Je les connais, les reconnais. Et les besoins spécifiques nés d'elles.

J'ai redécouvert mon enfant en moi, naïf, vulnérable, limpide. J'ai appris à le protéger, à me protéger, à montrer les dents.

Et…

Voilà, je range ma palette et mes pinceaux. Tableau inachevé. Bien sûr.

Il le sera toujours.

Alors… La Boîte à mots, j'y ai plongé pour partager ce que je suis et donner le goût aux lectrices de poursuivre ce partage. J'ai ouvert la boîte parce que j'ai le désir d'aimer et d'être aimé, le besoin aussi; aimer et être aimé de façon privilégiée.

J'ai le goût et le besoin d'être ce que je suis et combien plus à deux, l'homme, l'amant, l'ami, le père, le complice, le frère, le supporteur, le coup de pied, la main secourable, le créateur, le tracassé, le clown, le passionné, l'ordinateur, le musicien et tout ce qui va naître de la synergie d'une relation, avec toi peut-être.

J'ai le goût d'une relation solide, durable, fondée sur l'attrait mutuel, la franchise, la connaissance, la lucidité, la transparence, la volonté, le courage, la maturité, le respect de l'autre et de son rythme.

J'ai le goût de bâtir un bateau-aventure à trois ou quatre, ou plus, s'il y a enfants-passagers. Les voiles sont hissées, l'ancre prête à être levée.

Alors, au plaisir de vous lire, ou vous entendre.

À bientôt,

Claude, 35 ans, agent de formation
programme-jeunesse

Clown

*Quand j'ai une moustache, les enfants me confondent avec Fardoche de
Passe-Partout. Je mesure 6' 1" et je pèse 205 lb. Je recherche une
compagne bien et qui a le souci des gens qui l'entourent.
Je veux dire, qui n'est pas méchante et injuste.*

Je suis ce clown que l'on voit au rodéo. Il fait rire les petits comme les
grands avec ses bouffonneries. Il détourne le danger du cow-boy quand
celui-ci tombe du taureau, sans penser qu'il pourrait perdre jusqu'à sa vie.
Il a un visage rieur et drôle, un gros nez rouge. Quand il est seul, il a de la
peine, car il n'y a personne qui a reconnu en lui une personne solitaire et triste
qui aimerait bien que quelqu'un fasse le pitre pour le faire rire.

Je suis celui que toute hôtesse vient chercher pour mettre de la vie dans le
party, qui a de la misère à décoller. J'aime mieux me faire découvrir par
l'écriture, car j'ai vécu deux fois en couple avec des femmes qui avaient
besoin de rire et qui, un moment donné, n'ont plus eu besoin de ce clown
qu'elles n'avaient pas regardé en dedans.

J'ai un enfant avec la dernière et, par convenance, elle a pris mon seul
auditoire qui était resté pour voir en-dedans. J'ai un pressentiment qu'il
viendra à moi plus tard, il n'a que cinq ans. Je l'attends et je suis prêt à
l'accueillir. Quand j'ai eu cet enfant, je me suis juré d'être toujours là; c'est
moi qui le voulais, il ne m'a pas demandé pour naître.

Je suis une personne simple, un peu paysanne, qui se fout de ce que les
autres pensent, qui ne s'habille pas pour le confort des autres, mais sans
toutefois dépasser les bornes. J'aime la musique, les poètes, le cinéma, la
culture. J'aime la musique américaine du genre Willie Nelson, Johnny Cash,
Neil Diamond, Paul Simon, Cristal Gayle, Dolly Parton. Je peux aussi
écouter du classique, du Beatles, Pink Floyd, Rolling Stones. Je suis pas mal
polyvalent de ce côté. J'espère que vous excuserez ma prose, je tends à parler
comme j'écris, d'une manière simple et directe.

Je suis très à l'aise en public. On peut m'amener n'importe où, le clown
reste à la maison quand il le faut. Je crois que tout le monde est égal et je suis
à l'aise aussi bien devant un auditoire royal que devant un auditoire de
clochards.

Je suis émerveillé comme un enfant devant le musicien, l'acrobate, et le prestidigitateur. Je pleure devant l'injustice ou la cruauté. J'aime dire «je t'aime» le plus souvent possible. J'aime faire des cadeaux et je suis embarrassé d'en recevoir.

Je suis gêné un peu de mon texte, de mon écriture, mais je me dis que la personne qui aimera ce que je confie, verra ma beauté. La beauté n'est-elle pas dans les yeux de celle qui la voit? Je suis plus à l'aise pour écrire en anglais. Pardonne-moi encore une fois d'avoir si bien massacré la langue française, mais le clown est tout le temps pêle-mêle, il n'a pas le temps ni la patience de se redécrire. Ça fait trois heures que je suis ici, au bureau. Je commence déjà à avoir des fils d'araignée.

Écris-moi si tu veux du bon temps. Je fume le cigare Colt de temps en temps, pas régulièrement. Je prends un verre socialement, j'arrête avant le .08. Je n'ai plus soif quand même avant cette marque fatale. Je suis très tolérant et parfois, souvent, j'aime me faire dire «je t'aime».

Clown, 37 ans, gérant

Crusoé

Signalement du «contenant»: Grandeur, 5' 6". Poids, 130 lb. Yeux bruns. Cheveux brun noir. Signe: Bélier (pour celles que ça intéresse!).

Et le contenu?

Bien sûr, c'est l'essentiel!

Je voudrais tout d'abord mentionner que c'est un exercice peu commun que celui de tenter de décrire ce que l'on est par l'entremise d'une feuille de papier. Ce que je veux dire, c'est qu'habituellement, quand on est invité à parler de soi ou de ce qui nous intéresse, c'est en compagnie de «quelqu'une» que l'on aime bien, ou du moins que l'on connaît bien. Et puis, il y a tout le décor; c'est nécessairement devant un verre de rouge, en sirotant une tisane, ou encore, en faisant la vaisselle.

C'est pourquoi, aujourd'hui, j'ai comme l'impression de glisser dans une bouteille une page du journal de ma vie, un peu de moi-même quoi!

Et cette bouteille je la lance à la «mer»... Floc!

Bien sûr, je n'ai pas toujours vécu sur cette «île»!
J'y suis en fait depuis une couple d'années, soit lorsque le bateau s'y est échoué à la suite d'une vive tempête.
Je me souviens, au début je la trouvais hostile cette île.
Et puis, graduellement, j'ai appris à la connaître, et petit à petit, elle m'a livré ses secrets.
Même aujourd'hui, il m'arrive de découvrir de nouveaux points d'eau, de nouveaux reliefs, alors que pourtant, je l'ai fait souvent le tour de mon île!
Je l'aime bien mon île, et j'aimerais la partager.

Pourquoi me diras-tu?

Parce que le soleil y brille...

Malgré les gros nuages qui se forment au-dessus de cette société de consommation tentaculaire, sur l'île, le vrai sens des valeurs reste au soleil.
Les tornades du superflu et de la superficialité ne sont plus qu'une brise douce et rafraîchissante lorsqu'elles atteignent l'île.

Parce que l'on y bouffe de bonnes choses...

L'île regorge de bons fruits et légumes, mais est plutôt pauvre en gibier.

L'on y retrouve de moins en moins de produits chimiques au fur et à mesure que les boîtes de conserve, vestiges du naufrage, disparaissent.

«Autodidacte de la popotte», j'adore cuisiner de p'tits plats que je déguste à la chandelle, au soleil couchant, en écoutant le clapotis des vagues qui viennent mourir à mes pieds.

Parce qu'il y a de la musique dans l'air...

Un jour, un vieux gramophone s'est échoué sur l'île.

Et depuis ce temps, le chant des oiseaux est plus jazzé, et leur vol s'accorde harmonieusement au son du classique.

Parce que l'on y bouge...

Je suis un sportif participatif; canot-camping et vélo en été, ski de fond et ski alpin en hiver.

Sur l'île l'association activité sportive et plein-air est une combinaison gagnante!

Parce que l'on ne s'y bouscule pas...

La vie dans l'île se déroule au rythme de la nature.

On y lit sur l'écologie, les relations Nord-Sud et un peu de tout.

Et puis il y a le cinéma... une couple de stations de métro plus loin.

Le cinéma c'est un médium fantastique... On y voit de merveilleux paysages et personnages.

En fait, un film c'est comme un rêve, avec l'avantage de pouvoir le revisionner si on a adoré...

Voilà donc comment elle est cette île!

Et j'aimerais bien pouvoir la partager avec une compagne qui aura elle aussi une île à faire découvrir.

Comment elle est cette compagne?

Elle est autonome, enjouée, avec du soleil plein les yeux et plein le cœur. Évidemment, elle aime le plein-air. En somme, une compagne qui a le goût de mordre à la vie... tout comme moi. Je dis: «tout comme moi», car j'estime qu'il doit y avoir présence d'un minimum d'affinités, afin de favoriser l'établissement d'une complicité qui est nécessaire à deux êtres qui désirent faire un bout de chemin ensemble.

Et ce bout de chemin, je le voudrais durable et réciproquement profitable! Alors voilà!...
La bouteille a été lancée à la mer...
Trouvera-t-elle preneuse? C'est une autre histoire...

Crusoé, 26 ans, analyste
en système d'information

Danny Boy

*Une seule amitié et je serais satisfait
de mon passage à La Boîte à mots.
Mais s'il y a plus, alors...*

Eh! oui... je m'appelle Danny boy. C'est mon nom de plume, ça me fait rire. Je rougis déjà seulement qu'à penser que je vais rencontrer quelqu'un à qui je me serais présenté ainsi. Ça fait cow-boy, hein!

Et pourtant si je l'ai choisi quand même (j'en ris encore), c'est un peu par défi. J'ai envie de rire de mes peurs. J'ai envie de prendre ça en riant, La Boîte à mots. C'est le deuxième texte que j'écris. Le premier, je l'ai envoyé à la poubelle. Il était tout crispé, plein d'angoisses, d'anxiété à force de vouloir essayer de plaire. J'en ai marre de ça.

Si vous n'aimez pas mon nom de plume, passez-vous en. Pis si vous l'aimez, passez me voir. On pourra en rire ensemble.

Bon, passons maintenant à autre chose.

J'ai 35 ans, grand mince dégingandé, tendres yeux bleus, le visage honnête, trop; j'aimerais bien avoir l'air d'un dur, comme les héros solitaires au cinéma, mais je n'en ai pas l'air. À vrai dire, je ne sais pas de quoi j'ai l'air, cela dépend de mon état d'âme.

Deux enfants, deux garçons de huit et douze ans, beaux et fins, avec qui je vis en exclusivité depuis quatre ans, et depuis quelques mois, un début de garde partagée avec leur mère. C'est bien le fun la garde partagée.

J'ai aussi une R5 usagée, des meubles très usagés, un matelas presque neuf, et samedi, juste avant de passer à La Boîte à mots, je me suis acheté un fauteuil et un pouf chez Kit International; il y avait un spécial. Y commence à être temps que je me paye un peu de luxe. Ça doit faire partie d'un même tout: le fauteuil, La Boîte à mots, et le souper au restaurant ensuite.

Le hic, c'est que le souper au restaurant, je l'ai pris seul. C'est un peu beaucoup pour ça que je suis passé à La Boîte à mots. Car cela fait trois mois que j'habite Montréal et j'ai décidé que c'était assez de solitude comme ça.

174

Je m'étais dit que ça serait sûrement tranquille un certain temps, mais je n'ai pas envie de rester comme ça des années.

J'habitais Québec depuis quinze ans, lorsque la compagnie pour laquelle je travaillais a fermé ses portes. C'était l'occasion ou jamais de revenir à Montréal, d'autant plus que la mère de mes enfants y habitait et qu'elle désirait ardemment reprendre contact avec eux. Ce qui fait que me voilà. Mais ce n'est pas facile. À Québec, j'avais mon petit monde à moi que je m'étais lentement constitué après mon divorce. Ici, il faut que je recommence.

Maintenant que je me suis trouvé du travail, je peux penser à autre chose qu'à gagner le pain quotidien et (envolée lyrique) «je pense à toi, belle inconnue...»

Je cherche quelqu'un (une femme) avec qui être ami, pas pour meubler ma maison, mais mon cœur.

Quelqu'un à qui je pourrai penser, parler, toucher.

Quelqu'un qui pensera à moi aussi, pour qui j'existerai.

J'ai des goûts simples. J'aime le cinéma, la lecture, la musique, prendre une marche, les randonnées en vélo, ski de fond, et jaser, beaucoup jaser.

Un peu beaucoup intellectuel, un peu beaucoup manuel, je cherche quelqu'un dans ce genre-là.

Danny Boy, 35 ans,
plieur en imprimerie (reliure)

de la Vérendrye

Jusqu'à tout récemment, je ne me suis jamais senti à l'aise avec la communication sous sa forme écrite. Je devrais plutôt dire que je détestais écrire. Puis, il y a quelques années, j'ai commencé à mettre sur papier mes pensées, mes états d'âme et je me suis laissé apprivoiser par les mots. Lors d'une première visite à La Boîte à mots, j'ai lu des textes qui m'ont touché et qui ont suscité ma curiosité. J'ai eu le goût de rencontrer les femmes qui les avaient écrits. Et me voilà, moi aussi, en train d'écrire un texte.

Il y a environ quatre années que je vis seul suite à une séparation. Ces années, je les ai passées à découvrir un monde où l'on prend le temps de sentir ce qui se passe à l'extérieur et autour de soi. C'est un territoire que je trouve difficile d'accès parce qu'il faut s'y laisser guider par ses émotions alors que la tête, qui a l'habitude de garder le contrôle de la situation, résiste farouchement. J'essaie d'établir un partage plus équitable entre les deux. Évidemment, il reste du chemin à faire, mais la route se précise et j'espère de plus en plus continuer mon voyage à deux.

Dans la vie de tous les jours, je travaille dans le domaine de la microbiologie médicale. C'est un travail qui me passionne et pour l'instant, j'y consacre une bonne partie de mes énergies. Dans mes moments de loisir, j'apprécie la musique, la lecture, le cinéma. Je pratique aussi plusieurs sports sans pour autant exceller dans aucun: ski de fond, ski alpin, planche à voile, tennis, bicyclette, randonnée pédestre, canoë… J'aime sentir mon corps en mouvement, mais une grande partie du plaisir que j'éprouve en pratiquant ces activités, c'est d'entrer en contact avec la nature.

Je mesure 5' 9" et je pèse environ 140 lb. J'ai les yeux pers et les cheveux brun pâle. Je porte une barbe bien taillée. Je suis en bonne santé. Je ne fume pas. J'ai du plaisir à vivre dans mon corps et j'essaie d'en prendre soin, de l'écouter.

Et depuis quelque temps déjà, il me répète souvent qu'il y a quelque chose de pas très humain dans le fait de passer des journées, des semaines, des mois sans serrer quelqu'un dans ses bras. Évidemment les amis sont là. Mais le fait même d'avoir de bons amis donne encore plus le goût de vivre une relation toute spéciale. Ce qui me manque dans mon quotidien, c'est la tendresse, le partage, la complicité. Je crois que c'est possible pour deux personnes de vivre ensemble tout en suivant leurs chemins respectifs, tout en devenant plus autonomes et plus unies.

Quand on vit seul, on a souvent l'impression d'être placé devant un miroir. Lorsqu'une personne remplace le miroir, on perd le contrôle de l'image qui nous est renvoyée et c'est là que des choses extraordinaires peuvent se passer, en autant qu'on réussisse à communiquer. Ça présuppose qu'on sache déjà en partant comment aimer un peu, et ça donne la possibilité d'apprendre à aimer beaucoup, de découvrir un territoire qui donne à la vie une dimension nouvelle.

de la Vérendrye, 37 ans, microbiologiste

De l'ouïe à l'âme

Yeux bleus, cheveux courts.
Tranquille.
Jamais disponible la semaine.
Stable.
Aime la musique pas forte.

Si on pouvait se voir ailleurs

On a tendance à se voir que dans les bars
Faut-il se surprendre de cette histoire
Qui se passe sans cesse dans le noir
À consommer de l'alcool mélangé?…

Si on pouvait se voir ailleurs
Penses-tu que l'on pourrait
Changer quelque chose
Si on pouvait se voir ailleurs?
Comme si on était bien
Que de se voir ici sans rien dire
Sans rien dire sauf se sourire…

On prendrait le temps de tout finir
Il n'y aurait pas de last call
Pour te dire merci
Pas de doorman
Pour me dire de sortir
Il n'y aurait que nous deux
Seuls et limpides
Dans un silence impalpable…

On dirait qu'il y a un trait qui nous effraie
Une ligne sculptée dans l'indifférence
Qui nous sépare
Seuls nos regards sauvages se croisent
Nos regards insaisissables
De suffisance impartiale…

De l'ouïe à l'âme, 23 ans, étudiant

Dominique K.

Né en France, mesure 6', 175 lb. Capricorne.
Travaille de 9 à 5.

«Qu'attendez-vous d'elle?

— Qu'elle soit capable de me montrer ce que je n'avais pas vu. Un insecte, l'éditorial de la veille dans *La Presse*, un groupe rock australien.

— Citez une qualité que vous appréciez le plus.

— L'éclectisme.

— ...?

— Aller à Paris, souper chez Lasserre. Y prendre un réel plaisir, le dire. Pas parce que c'est Lasserre, parce que les légumes étaient parfaitement cuits. De passage dans Rosemont, manger un sandwich bacon-tomate. Y prendre un réel plaisir. Savoir aussi qu'il y a de *mauvais* sandwichs bacon-tomate.

— D'autres prérequis?

— Au hasard: elle ne fume pas de pot plus qu'une fois par mois; elle aime son travail et me fait sentir pourquoi; elle aime faire l'amour souvent, je veux dire avec moi; elle ne s'intéresse pas beaucoup à la politique. Elle était heureuse *avant* de me rencontrer et je bénéficie de ce bonheur.

— Vous n'avez pas d'amie en ce moment?

— Non. Je voyais L. régulièrement depuis deux mois. Elle est partie en vacances je ne sais où et sans me prévenir. J'ai cru y voir comme un adieu.

— Vous avez beaucoup voyagé?

— Quelques voyages très courts. Moscou, Copenhague, l'Afrique. En fait un seul voyage compte vraiment, le Québec en 1972. J'y suis encore.

— Peut-on dire que vous êtes *intégré* ici?

— Oui. En tout cas, l'être plus, ce serait me désintégrer.

— Vous n'avez jamais été marié?

— Non. Une suite de coïncidences. Études prolongées, carcan familial, émigré à l'âge où les autres se marient.

— Vous vous rendez compte que ce ne sont pas là les vraies raisons?

— Oui.

— Mais avez-vous au moins vécu maritalement?

— À peine quelques mois, il y a plusieurs années. Ça s'est plutôt mal terminé et m'a rendu très prudent par la suite. Beaucoup trop.

— Aimez-vous les enfants?

— Maintenant plus qu'autrefois. Je me surprends à les regarder, envieux, dans la rue.

— Envieux?

— Oui, dans les deux sens. J'ai envie d'eux, je les envie.

— Êtes-vous jaloux?

— Au plus profondément de moi, je crois que oui. C'est une découverte récente. Mais c'est une émotion que je cache et je ne montre qu'un détachement, une indifférence qui déconcerte plutôt mes amies. Je le cachais si bien que je ne le savais pas moi-même.

— Êtes-vous au moins fidèle?

— Pas absolument, mais là aussi plus maintenant qu'autrefois. On est fidèle quand on est heureux. Dans ce sens-là, j'aspire à la fidélité.

— Pourquoi avoir préparé ce texte sous la forme d'une entrevue?

— La situation de l'entrevue est gratifiante: vous êtes intéressant, on vous écoute... Cela m'a aidé à surmonter l'épreuve. Cela m'a par contre peut-être donné un côté *sûr de moi* qui n'est qu'apparence, je vous assure.

— Dominique K., je vous remercie.»

Dominique K., 36 ans, ingénieur

Félix

Je m'intéresse à beaucoup de choses: psychologie, arts, sciences.
La plupart du temps, je préfère apprendre seul.

Rencontrer des gens qui aiment écrire
et accordent de l'importance à la création.

À suivre

Je ne trouve pas les mots. Qu'est-ce qui serait digne d'éveiller l'intérêt chez mes congénères? L'objet de ma démarche est aléatoire. L'orgueil me retient. J'hésite. Surpris d'être pris au dépourvu. Frustration. Entêtement. Sueur froide. Devant l'ampleur de la tâche, j'ai le goût de tout bâcler, style: j'ai passé la trentaine. Ça te plaît pas? Tant pis. Et je m'occupe d'élever des moutons. Reste à la campagne. Aime lire et écrire. Ça te plaît encore moins? Désolé, ça sera à la prochaine.

Déjà, je sens la colère m'envahir. Mais qu'est-ce qu'il faut? Jouer les modestes. Dans le fond je suis un bon gars, simple et pas méchant, doux et affectueux, tendre et passionné mais aussi très raisonnable. Souple d'esprit mais ferme et résolu lorsqu'il s'agit... De quoi? D'aller jusqu'au bout... De quoi? Les contradictions m'assaillent. L'ambivalence me guette. Le doute me tenaille, démolit en moi toute velléité de communication. L'inconnu, l'aventure me rendent anxieux. Je vacille. Angoissé, je me demande: «Qui suis-je?» Mes fondements métaphysico-existentiels sont saccagés. Parce que j'ai voulu faire mon autoportrait, je ne sais plus sur quel pied danser.

Je joue du piano, un peu de jazz, boogie-woogie. Il faudrait que je m'y remette. Qu'est-ce que j'attends? À bout de souffle. J'ai un roman chez un éditeur. S'il le refuse, je le réécrirai encore une fois. Je n'en suis plus à une version près. Tenace, résolu, je le réécrirai jusqu'à ce qu'il devienne un chef-d'œuvre. Il y a longtemps que j'écris. Au début même la nuit. Maintenant quand l'occasion se présente. J'ai l'ambition de ma génération: vivre et laisser vivre. D'une tolérance qui frise l'immoralité. Il n'y a que les préjugés qui me retiennent de faire des excès.

Je n'attends de la vie rien de particulier. Attentif plutôt au moment présent. Avec la bombe, on ne sait pas de quoi demain sera fait. La belle excuse pour désespérer. J'aime mieux la mélancolie que le désespoir. Le retour en arrière. Un passé qui fait parfois sourire, parfois pleurer. Action, dynamisme, avenir prometteur, autant de mots qui représentent un idéal auquel je n'arrive pas à croire. Mon passé me hante. Je recherche l'exorcisme qui mettra fin à mon errance. Somnambule d'une nuit qui n'en finit plus de devenir demain (crois bien que c'est de Jacques Brel).

Parlons de choses importantes. L'amour, l'amitié, la vie à deux. Les détours qu'il faut prendre pour en parler. La sincérité n'est d'aucune utilité. Il faut attaquer le sujet en louvoyant. Un rictus sur les lèvres. Les mains jointes ou les poings fermés, prêt à se défendre ou à donner des coups. Impossible même avec toute la bonne volonté du monde d'en parler ouvertement. Les sentiments se traînent comme des boulets aux pieds.

«M'aimes-tu?»

La question primordiale commande une réponse franche et loyale. Les yeux mouillés, les mains brûlantes, il faut répondre oui ou non. Un quizz dont l'enjeu est un voyage qui dure des années. Nerveux, il ne répond pas, hésite, détourne son regard, essaie de trouver un faux-fuyant.

«Tu sais, l'Amour!»

Il paraît distrait, veut mettre une distance protectrice entre la situation et lui. Il cherche sans doute à gagner du temps. Dans quelques mois on verra.

«Ça fait des années que nous sommes ensemble.»

La condamnation s'abat. Après toutes ces années se pourrait-il que les sentiments aient changé? Il reste insaisissable. Murs et fondations se lézardent, un monde va s'écrouler. Elle ne veut pas lui faire de mal. Il ne veut pas la blesser. Ils veulent se retirer bons amis et si possible dans un respect mutuel qui sera une manière d'hommage à un adversaire dont on apprécie l'habileté. Mais les années perdues à se dire je t'aime. Mais les nuits passées en caresses et en paroles suaves. Où donc sont rendus rires et tendresse, toutes ces réconciliations inutiles qui semblaient être la preuve irréfutable qu'ils étaient faits l'un pour l'autre?

Alors tout recommencer avec quelqu'un d'autre, fort d'une expérience qu'on souhaiterait profitable. Ce serait trop injuste d'avoir souffert en vain. Quelque chose d'irrémédiablement gâché ou simplement la fatigue d'aimer et d'être aimé. Lassitude d'un sentiment qui semblait inépuisable.

Comment l'histoire se termine-t-elle? Gageons qu'au dernier moment ils se réconcilieront encore une fois. Que ce n'était qu'une épreuve de plus envoyée par le destin. Parions qu'il s'excusera d'être trop exigeant et qu'elle s'excusera d'avoir manqué de compréhension. Que l'espoir renaissant, la tendresse et l'affection les réuniront de nouveau.

Si vous n'êtes pas d'accord, il faut m'écrire une suite qui vous convienne, qu'elle soit dans la tradition des amours déçus ou non.

Félix, 31 ans, berger

François

*Je suis un bon vivant, sensible et compréhensif. J'aime bien le cinéma,
la lecture, les voyages, le plein-air, la bonne bouffe
et les grasses matinées. Je déteste l'abus de pouvoir,
la politique, la violence et la solitude.
Dimensions: 5' 4", 125 lb.*

L'Appel de la mer

Il était une fois un adolescent qui, comme bien d'autres, se retrouva fort dépourvu quand la fin de son secondaire fut venue. Il alla crier à l'aide chez l'orienteur un peu bête, qui lui dit: «Tiens, consulte ce livre ce soir et ramène-le-moi demain». *Carrières et Professions* était tel un roman d'Agatha Christie. Beaucoup de personnages tous aussi suspects les uns que les autres. Ils étaient soupçonnés d'être monotones et porteurs des germes d'une terrible maladie: le métro-boulot-dodo. Tous? Non, un seul semblait résister à cette maladie envahissante, c'était l'officier mécanicien de marine marchande. Sans plus tarder, il envoya une demande d'admission à l'Institut de marine du Cegep de Rimouski. Le nom à lui seul était exotique. En tout cas, cela serait mieux que l'aventure des sciences pures et appliquées dans un Cegep de banlieue. Il dit donc au revoir à sa famille et à ses ami(e)s et, la tête remplie de rêves, il prit le chemin de Rimouski.

Après une année d'études, l'Appel de la mer lui parvenait. Il devait s'embarquer dans une dizaine de jours en Nouvelle-Écosse sur le *S/S Gypsum Duchess*, vieux de près d'un quart de siècle, à destination de: Philadelphie, Jacksonville, Nouvelle-Orléans, Houston et Tampico. C'est au cours de cet été-là que les rêves devinrent réalités. Oui, la marine marchande c'était quasiment comme dans les livres et les films. Ensuite ce fut le retour à l'école.

Quelques mois plus tard, l'Appel de la mer se fit de nouveau entendre. C'est là que le romantisme s'évanouit pour laisser la place au challenge technologique. Les navires étaient de plus en plus modernes, de vraies usines flottantes, et passaient de moins en moins de temps au port. Huit heures pour décharger 30 000 tonnes de minerai. Cela n'était pas écrit dans le livre de l'orienteur.

Les quatre années suivantes furent somme toute semblables. Les études et les Appels de la mer se succédèrent sans arrêt. Lui qui avait toujours eu peur du métro-boulot-dodo, sentait que les attaques de cette maladie prenaient peu à peu le dessus sur lui. Mais voilà aussi qu'une autre maladie plus sournoise encore le guettait: la solitude. Quand on est au large, on perd de vue bien des ami(e)s et connaissances.

Cependant, un changement bénéfique pour lui se produisit. Les Appels de la mer se muèrent en Appels du fleuve, qui avaient une durée de trois mois. C'était un net progrès. De cette façon, quand il débarquait pour ses vacances, il ne se sentait plus comme un Martien arrivant à l'improviste au beau milieu d'une réunion de scientifiques discutant de l'effet néfaste du Cheez Whiz sur le développement psychomoteur des chimpanzés de Tanzanie.

De plus, il prit la décision de faire cesser les Appels du fleuve aux cours des prochaines années; les pieds sur terre, il pourrait mieux supporter la première maladie et combattre plus facilement la seconde. Mais voilà, il faudrait que quelqu'un aide notre ex-adolescent rêveur à apprécier pleinement les Appels de la terre.

Est-ce la fin de l'histoire? Non, car pour qu'une histoire ait une fin il faut qu'elle se termine par: «Et ils vécurent heureux et eurent de nombreux descendants.» Enfin quelque chose du genre.

François, 23 ans, officier mécanicien
de marine marchande

Fugue

5' 10" 1/4, (j'y tiens) 190 lb (j'y tiens pas tellement), cheveux brun foncé,
très courts, visage un peu rond, ossature de rocker, cœur de papier.
Passionné de musique, de cinéma, et d'histoire (ça c'est nouveau).
J'adore les informations de 18 heures à Radio-Canada.
Je déteste Pierre Pascau. Je haïs Dallas, Dynastie et autres.
Je ne suis pas riche, je rêve de gagner la loto mais je n'achète jamais de
billets. J'aime le football, le jour de la coupe Grey ou du Super Bowl
et le hockey, en finale seulement.
J'adore les enfants (ça aussi c'est nouveau).
Je prétends détester la télé, et pourtant elle m'hypnotise.
J'ai une allergie aux chats, même si je les aime.

Voici, il s'agit de ma première tentative de rencontre par l'entremise d'un tiers. Pourquoi La Boîte à mots? Parce que depuis une vingtaine de mois, je me déguise en Casanova les week-ends et je fréquente certains bars. Au bout de vingt minutes je quitte, écœuré, et je me retrouve au cinéma ou bien je marche et je marche.

Il m'arrive aussi de «jouer des yeux» dans les wagons du métro, mais lorsqu'une Isabelle Adjani ou une Michèle Viroly me répond, je panique, je sors à la station suivante en me répétant que la prochaine fois... Je laisse tomber Casanova et les yeux racoleurs et j'essaie avec la plume et j'attends...

Je me passionne pour la musique, des Beatles à Jean-Sébastien Bach en passant par U2, Higelin, Marjo, Gershwin, Joe Jackson, Yves Montand, Félix, Dvorak, Miles Davis, Carla Bley et Nino Rota, les chansonnettes de Boris Vian et le tango. Je voyage beaucoup en images avec celles de Beinix, Wim Wenders, Scola, Scorcese et Chaplin entre autres.

Je partage mon logis avec mon ex-copine qui vit son lesbianisme depuis deux ans. L'avantage de vivre ainsi est d'ordre financier. Par contre, mes découvertes musicales, cinématographiques ou autres, je les vis seul. L'affection, la tendresse que je voudrais donner et recevoir, je m'en passe et j'en souffre. Mes longues marches en ville ou en forêt, je les fais seul. Ma passion pour les discussions sur les problèmes de l'heure, je me les raconte. Mes joies, mes peines, je les retiens. Ma seule thérapie, pleurer en silence ou rire en m'en faisant accroire.

Aujourd'hui j'explose (boum!). Je ne supporte plus cette solitude. Je rêve de marcher avec toi un samedi matin sur la Saint-Laurent pour acheter quelques aliments exotiques, de se disputer la section des Arts et Spectacles de *La Presse* du samedi, de tirer au sort le film à voir ou tout simplement de rester à la maison à s'aimer.

Comment je t'imagine? Je te vois entre 24 et 37 ans, peut-être moins, peut-être plus, sans ou avec enfants, belle dans ta tête, sens de l'humour, sexualité sans trop de problèmes, aimant la musique et le cinéma. Physiquement, je ne sais pas. Si tu as quelques cheveux gris, ne les cache pas, je les aime. Tu ne t'habilles pas chez Holt Renfrew, mais tu as un style; qu'il soit classique, paysan, punk ou éméché, ça ira. Tu ne détestes pas un bon repas avec vin.

S'il devait y avoir une première rencontre entre toi et moi, je tiens à spécifier que lors d'un premier tête-à-tête, je parle trop. Je passe du français pointu au joual dans une même phrase, je verse du vin sur ma chemise et j'oublie ma fermeture éclair en sortant des toilettes. Passé ces premières gaffes, je redeviens moi-même, c'est-à-dire un tiers mature, deux tiers enfant.

Fugue, 34 ans, commis de bureau
pour une agence de publicité

G. L.

Plausible, présentable, plaisant
Non conformiste mais ça paraît pas trop.
Barbe. Lunettes. 1,75 m.

Quelques fragments

Excusez mon français imperfect.

Je suis Europeen. Latin.

A Montreal je me trouve dans un milieu anglophone et je veut rencontrer des Latins.

Je suis aussi Canadien, car depuis presque vingt ans je demeure pricipalment au Canada.

Au Quebec ça fait peu plus que un mois que j'y suis rentré, mais j'ai dejà vecue ici pour quelques annee avant de demenager sur la Cote Ouest. Alors je me sent aussi un peu Quebequois, a parte mon orthographie.

En revenent a Montreal je termine de demenager, mais pas de voyager. J'ai encore un pied en Europe. J'y vait souvent pour des periodes des mois. Mon travail est mobile, donc je m'appellerez G. L. (geografiquement libre).

J'ai souvent l'occasion de voyager. Je cherche les cultures locaux, l'histoire, l'archaelogie, l'art, la nature et des fois du business.

Le soleil je le cherche pas parceque il y en a partout sauf a Londre et a Vancouver. Donc mon idee d'un voyage n'est pas le temp passé sur une plage tropicale.

Mais si il y en a une a coté du soleil qui se leve (je le prefere a celui qui se couche) j'y passerez avec plaisir quelques quarts d'heure.

Je m'identifie beaucoup avec mon travail. C'est normal car la nature de mon travail est creative. Donc, quand je ne suis pas en voyage, j'ai une tendence a etre sedentaire mais… j'apprécie un concert, un film de qualité, un opera, un promnade dans le parc, une soiree avec des amis, un bon restaurant. Pas necessairement a la mode mais bon.

J'aime manger la bonne cuisine et la faire aussi.

Avec mes repas je prefere du vin.

Entre mes repas je cultive un cigar ou deux. Ce sont des cigars respectables et il ne faut pas etre arrogant avec eux. Mes poulmons vont tres bien, merci. Je suis encore assez agile meme si je ne fait pas du jogging. Cependent j'adore courrire quand je suis pressé.

Facile a croire il y a des chose que j'aime bien et des autres que j'aime pas.

Voilà des examples:

j'aime bien la flexibilité	pas le dogma
la cooperation	pas la competitivité
la generosité	pas la reticence
la beauté	pas l'arrogance
la cordialite	pas la pretension
le bon sense	pas le nonsense
l'adaptabilité	pas la rigidité
l'engagement	pas la superficialité
l'egalité	pas le machismo
l'egalité	pas le feminismo

Et cetera.

Dans une compagne je cherche:

Interieurment la beauté. Exterieurment l'attraiance. Mentalment l'overture. Intellectuelment l'inquisitivité. Emotivement l'affection. Tangiblement la chaleure. Geographiquement la disponibilité.

Pas trop bon a donner des opinions sur moi meme pou ce que concerne ma personalité et mon apparence physique, je vous renvois a la bref description dans la formule de presentation que precede. Je voudrez bien reveler plus que ça, mais pas dans ces pages.

En m'excusent encore pour ce que je vien de faire a la langue Française, merci pou avoir lit et possiblement a la pochaine.

G. L., 42 ans, designer-sculpteur

Note de l'éditeure: Les fautes du texte de *G. L.* n'ont pas été corrigées afin de garder à ce texte son charme particulier.

Galopin agile

Le cheveu châtain clair, l'œil vif et clair,
la jambe poilue, du genre trapu dans les 5' 8".
Sympathique, doux, tendre, plutôt difficile d'approche,
préfère la solitude aux rencontres oiseuses et vides de sens.
Apprête le couscous d'une façon que lui envient les Nord-Africains.
Adore les matinées ensoleillées, particulièrement au printemps.
A travaillé dans différents domaines, étudié dans des sphères divergentes.
Non fumeur depuis un an (et pas du tout fatigant avec ça), travaille
beaucoup et dans un domaine qui demande beaucoup. Sympathique!

Texte pour la vitrine

Boîte à mots, boîte à rencontres, ouvre-boîte. Un texte pour l'annonce, un texte pour la vitrine: une bouteille de mots jetée dans une mer d'encre…

Comment décrire l'auteur de ces lignes? Un romantique désabusé, un idéaliste réformé qui marche sur la corde raide de l'instant qui passe, tentant d'oublier le passé et n'osant trop regarder vers l'avenir? Sans doute y a-t-il un peu de cela. Ajoutons cependant qu'il manie l'humour à la façon dont l'équilibriste joue de son grand bâton au-dessus du vide…

Cherche-t-il le grand amour? A-t-il soif d'aventures? Aspire-t-il à la sensualité plutôt qu'à la tendresse? Et la sexualité dans tout cela? La complicité intellectuelle est-elle de rigueur? Aime-t-il Mireille Mathieu? Eh bien, répondons donc à toutes ces questions dans l'ordre où elles se bousculent. À la première, oui et non. À la suivante, oui et non. Pour la troisième, disons, hum, les deux. En ce qui regarde la sexualité, hum hum!… la complicité intellectuelle est fortement suggérée. Non, il n'aime pas Mireille Mathieu.

En bref: il cherche une femme autonome, proche de son corps, de ses émotions, libre, pas trop mal tournée, qui aimerait prendre congé de la solitude pour un après-midi, une nuit, un mois, enfin, on verra!

Galopin agile, 28 ans, travaille en cinéma

Gavroche

5' 7", 145 lb, les cheveux bruns et les yeux pers,
mon apparence physique est standard, mais pas désagréable.
Par contre, mon texte saura peut-être accrocher une quelconque
partie de toi. Essaie toujours de le lire, on verra bien.
J'ai envie de découvrir, de communiquer, d'être, l'espace d'un instant,
un mystère dans ton esprit. J'ai aussi envie de sortir de l'anonymat
et d'être connu. Accueille ce texte comme une main tendue
à l'amour, l'amitié, l'échange littéraire.

Prélude au dialogue

Il y a presque 24 années (un quart de siècle déjà), je suis né poupon. Un beau p'tit bébé, rose comme un bonbon, doux comme une serviette lavée à l'Ivory Neige. 17 pouces et demi, tout juste 5 livres, j'arrivai dans ce monde avec timidité (je n'étais pas assez gros pour m'imposer).

J'ai grandi depuis, (de 49 pouces et demi) et pris un bon 140 livres, mais je suis resté timide à l'extérieur. J'ai su également conserver ma douceur, un peu moins sur la peau et un peu plus dans le cœur. Je vous avouerai donc aujourd'hui que je suis un tendre réservé et qu'après 24 années de socialisation intensive, on n'a pas réussi à faire de moi un mâle à gros bras et à grande gueule.

Je ne corresponds pas au stéréotype (ce qui ne veut pas dire que je sois homosexuel, efféminé ou frustré). Je suis tout simplement émotif, et pour un homme, c'est difficile à assumer.

C'est probablement pour cela que je crains de me montrer aux autres. J'ai peur du jugement, je me sens vulnérable.

Mais je fais des efforts, et même des progrès. Tranquillement, j'assume mes sentiments. En ce sens, la lutte féministe, qui réclame avec véhémence la destruction du mâle traditionnel, favorise mon expression. Un jour peut-être, je serai à la mode! En attendant, j'essaie de me définir avec le minimum de douleur.

Du nourrisson que j'étais, j'ai conservé le côté enfant. À l'intérieur de l'adulte que je suis devenu, subsiste le petit garçon enjoué et moqueur. J'aime rire et sourire, m'émerveiller devant la découverte et jouer à en perdre le souffle. Le «tiraillage» improvisé et les «batailles de chatouillage» exercent chez moi un attrait quasi irrésistible. Je suis un homme enfant, et longtemps je l'ai nié.

Croyant qu'un adulte intégré se devait d'être sérieux, j'ai muselé le dynamisme enfantin qui m'animait. J'avais tort, car je crois que le véritable adulte est celui qui accepte de respecter et de préserver le gavroche qui sommeille en lui. C'est l'orgueil et la prétention des pseudo-adultes civilisés qui tuent les gamins en nous.

J'essaie donc aujourd'hui de ne plus écraser cet aspect de ma personne. J'espère qu'un jour je pourrai en être totalement fier, sans peur ni honte.

Mais il n'y a pas que l'enfant en moi, il y a l'adolescent aussi, contestataire dans l'âme. Sensible aux injustices de cette planète, je me révolte aisément contre l'abus de pouvoir, l'autorité, l'élitisme, l'exploitation, la misère, etc. Les «istes» me collent bien à la peau (pacifiste, socialiste, féministe, humaniste, etc.) sans faire de moi une caricature vivante ou un «tripeux» utopique.

Bref, je suis de gauche et je défends mes idées sans mépris ni amertume. J'apprends même à les nuancer en vieillissant, ce qui me procure beaucoup de plaisir.

De l'adolescence, je retiens également le goût de la découverte. Découverte de soi, des autres et du monde. Je me sens souvent empli d'ignorance. Mais heureusement pour moi, j'ai l'ignorance curieuse, et elle se fait un devoir de tout faire pour contrer sa mauvaise réputation. J'adore donc apprendre, comprendre et m'enrichir (au sens figuré).

J'entretiens avec la découverte ce que l'alcoolique vit avec la bouteille, c'est-à-dire une relation de dépendance. J'aime la nouveauté, et cela, sans pour autant rejeter mon passé, mes souvenirs, mes amis, mes habitudes, mon milieu, mes origines. Disons que j'additionne les expériences et que je me sens encore au tout début du chemin de l'aventure.

Cette route, elle est peut-être plus escarpée présentement. J'ai peine à la parcourir, m'essoufflant à force d'obstacles.

Je viens de terminer mon bac en travail social, et le marché du travail semble prendre un malin plaisir à m'ignorer. J'ai l'impression de flotter entre deux milieux (études et travail), sans qu'aucun n'ait le courage de soutenir ma démarche. Je suis un ex-étudiant et un futur travailleur, mais dans le présent, pas grand chose aux yeux de ma société.

Mes amis vieillissent et se dispersent. Les gangs d'autrefois se transforment en couples bien rangés, disséminés un peu partout, de plus en plus inaccessibles. Le travail, les responsabilités, les projets, les enfants les éloignent de moi. Bientôt je les regarderai comme des souvenirs. Je les aime quand même, mais je ne peux plus les inclure dans mes projets.

Les bars et autres lieux de rencontres improvisées m'exaspèrent. Ils sont impersonnels comme les fonctionnaires, superficiels comme le *Journal de Montréal* et froids comme le sourire de Denise Bombardier. Je ne m'y sens pas à l'aise pour rencontrer des inconnues.

J'arrive donc à un moment de ma vie où je ressens le besoin de découvrir et de communiquer, mais les ressources auxquelles je me référais habituellement sont épuisées et épuisantes (études, travail, amis, bars). La Boîte à mots arrive dans le décor à un moment approprié. Originale et intelligente, l'initiative de la rencontre par l'écriture m'a séduit. Et même si je ne découvre pas l'âme sœur, si ça ne me fait pas vivre l'«aventure» de ma vie, j'aurai au moins eu la jouissance de la correspondance. J'y aurai été de ma petite création.

En parlant de création, il serait plus que temps que j'achève celle-ci. Maintenant tu me connais un peu, assez pour tourner la page avec indifférence ou m'écrire avec curiosité. Si tu fais partie de cette dernière catégorie, laisse-moi tout de même terminer mon discours sur mes goûts et loisirs (histoire de confirmer ton intérêt ou de provoquer ta fuite).

Étudiant en sciences humaines, j'apprécie par définition les domaines qui y sont reliés. La psychologie, la sociologie, la criminologie, la communication, etc., sont des sujets de conversation qu'il me plaît d'aborder en toutes circonstances (à l'université, dans la douche, sur une terrasse rue Saint-Denis, dans l'autobus, avec mon miroir, etc.). Je ne prétends pas pour autant être un intellectuel, qui «pelte» dans les nuages comme un col bleu dans les rues de Montréal. Je trouve essentiel de décrocher régulièrement de l'interrogation cérébrale et de vaquer à des occupations plus terre à terre.

Ainsi, j'aime le sport sans être un sportif (le volley-ball, le tennis, la bicyclette), je regarde la télévision sans être débile et lis *Croc*, les bandes dessinées et *La Presse* sans fierté ni gêne. Il m'arrive même à l'occasion de regarder une partie de hockey (un vrai sacrilège pour l'universitaire «pur») et je ne crois pas être arriéré ou aliéné pour ça (l'important étant de ne pas se limiter à la «culture du hockey de salon» et de ne pas être dépendant de cette dernière).

J'adore la photographie et rêve d'une chambre noire dans un avenir lointain mais certain. J'aime le cinéma, le théâtre, les voyages, les humoristes, les framboises, ma mère, mes amis, ma bicyclette, les bébés, la musique (sauf le western), les becs, l'amour, Achille Talon, les écrits de Foglia, Ding et Dong (pas ceux qui les imitent), une bonne bouteille de vin, le sourire d'un enfant, etc. et toi peut-être?

Gavroche, 25 ans, travaille pour un projet
de maison de quartier

Gémini

Bohème ou homme d'action, poète ou homme d'affaire.
Vivre si possible heureux dans ces amusantes contradictions.
Trouver par le truchement de quelques mots, et sans se mettre en boîte,
l'amie ou l'amante avec qui partager quelques sourires,
quelques grands soirs ou quelques petits matins...

De Gémini, à quelques années-lumière

Bonjour,

L'idée est amusante, le concept original: confier à quelques mots, ces grands menteurs, l'image de soi et puis s'asseoir au fond de sa boîte aux lettres et attendre que quelqu'un découvre cette bouteille à la mer et vous appelle de son île déserte.

L'idée est amusante mais les mots difficiles.

Parler de soi ou parler de toi?

Théoriquement parler de soi serait plus facile puisque, comme disait l'autre, c'est le sujet que l'on connaît le mieux... et pourtant.

Bon, côté physique: à défaut de mes dimensions horizontales que je ne connais pas, en vertical 1,80 m (un petit 6 pieds pour les inconvertis du métrique), mince, les deux yeux également répartis autour du nez, lui-même admirablement centré au milieu du visage.

Un corps que j'aime garder en forme raisonnable (tennis, tonight?), et au bout de deux jambes (galbées, fuselées?), tout simplement admirablement plantée dans le ciment: une paire de pieds...

Quand je pense au déluge de mots utilisés pour décrire tous les charmes du corps féminin, on se sent dépourvu devant la description de son propre physique... disons, en résumé, que l'ensemble est très acceptable.

Côté âge, la situation est moins drôle: 45 ans.

À 20 ans j'étais persuadé qu'il n'y avait pas de vie au delà de 30 ans; à 30 ans j'ai fait quelques concessions temporaires à ce chapitre et aujourd'hui, je me demande parfois comment on fait pour traverser la si difficile vingtaine.

Oui, j'aime mon âge, la liberté qu'il donne d'être ce que l'on est, mais il est vrai qu'on croise dans la rue tellement de gens morts à 30 ans que ce grand âge est inquiétant.

Côté tête, j'ai l'esprit occupé de très nombreuses heures par mon entreprise à laquelle je consacre mes actuelles énergies.

Mais, passé ces heures, j'aime le charme d'un souper fin, je savoure le plaisir délicat d'une conversation intelligente, je me délecte s'il s'y ajoute une pointe d'humour et j'avoue, à ma grande honte, jouir littéralement si un grand fou rire couronne cette soirée.

Un peu asocial, car les bavardages m'ennuient et les potins me lassent, j'ai peut-être la réputation d'être peu communicatif.

Pourtant j'aime, je recherche l'humain, le message de chacun; quitte peut-être à fermer le livre un peu trop vite si je crois l'avoir lu en entier.

J'aime, je cherche, j'essaie de m'entourer du beau sous toutes ses formes: nature, environnement quotidien, amis et femmes pour lesquelles j'avoue un penchant tellement penché que je ne m'en relèverai probablement jamais…

De nombreuses années de mariage et d'une presque honorable fidélité m'ont décroché du monde vivant des amis, des amies, de ce cercle indispensable que je souhaite recréer, notamment par cette Boîte à mots, et par l'intérêt que j'espère vous aurez à essayer de découvrir un autre vous-même.

J'aimerais vous voir en simple amie, pour le souper occasionnel d'un soir, le plaisir d'une amicale conversation, peut-être un week-end à la campagne que j'adore et qu'une présence féminine complémente si bien; ou bien, qui sait, en amante fougueuse et passionnée, troublant à loisir mes jours et mes nuits…

La vie est belle et qui ne risque rien n'a que ce qu'il mérite…

J'espère vous lire,

Gémini, 45 ans, administrateur

Gierd

Samedi après-midi, je déambule sur le trottoir de l'artère commerciale la plus fréquentée de la métropole. Rien de particulier ne m'amène ici, si ce n'est un besoin d'oxygénation en compagnie de la beauté du monde qu'on y retrouve habituellement. Le défilé de l'esthétisme est trop cadencé à mon gré. Je préfère quitter le rang, me retirer en marge, et tenir un pas saccadé tout en jetant un regard critique sur la réalité consommatrice.

Tout à coup, j'interromps ma foulée. Furtivement, je me dirige vers la glace d'un magasin d'images en mouvement. Par son magnétisme, le flux lumineux fixe mes yeux verts sur l'écran du vidéo. Le scénario qui se déroule est fascinant.

Dans une sereine campagne, un jeune, chevauchant l'âge adulte, quitte le domicile familial. Sur son visage l'amertume est perceptible. Bien serrées, ses mains retiennent plusieurs malles; elles lui semblent lourdes à supporter. Mise à part celle où tout son héritage rural est entassé, elles sont toutes vacantes.

Chemin faisant sur la route de sa nouvelle existence, il apparaît tenaillé du fait qu'il n'a pas la moindre assurance que ce bagage culturel acquis de la marée montante, ne le délaissera pas au cours de ce périple. Dans ses yeux, la lueur du doute s'installe au côté de la dérobade.

À l'intérieur d'un 2 1/2 meublé de son inquiétude, le voilà attablé avec l'énigme de ce défi singulier que représente pour lui la conquête de la culture urbaine. Par terre, l'étalement de ses valises; toutes grandes ouvertes, vierges, elles attendent sans trop d'empressement le chargement.

Dans un coin, la solitude pèse sur les courroies d'attachement de celle qui n'a rien à se reprocher. Un gros plan nous plonge en elle, laissant découvrir un tempérament teint pastel. Un tempérament que seul le roulis perpétuel des vagues sur l'estran de sa personnalité a su peindre de cette douceur. De ce caractère se dégagent des effluves salins du fleuve constitués d'essences naturelles telles: humilité, ouverture d'esprit, honnêteté, amabilité, franchise, sociabilité, humour, fidélité.

Quelques années se sont écoulées. Ayant déjà jeté l'ancre dans une ville moins profonde, il est, cette fois, accosté au port d'une cité tentaculaire. Depuis son débarquement, il l'apprivoise avec des avelines de la campagne. À son tour, elle a revêtu son peignoir multiculturel pour le séduire. La passion le transporte dans les bras de tout art. Cinéma, théâtre, spectacles, expositions, festivals, lui font de beaux yeux. La subornation quoi!

De dos, au loin, on le voit transportant son bagage de plus en plus considérable. La lourdeur ne semble pas l'accabler. Inopinément, sa tête se retourne; à côté, un magasin, une vitrine, un vidéo, une actrice; dans ses mains, des malles; à l'intérieur, sûrement de bien belles acquisitions à découvrir.

Gierd, 26 ans, journaliste-pigiste

Grand Garçon

*5' 9", 175 lb, cheveux noirs
avec un peu de gris (déjà).*

Bonjour,

C'est avec beaucoup d'hésitation que je me suis présenté à La Boîte à mots. J'ai tout d'abord passé plusieurs fois devant la porte avant de me décider à y entrer. Lorsque je suis arrivé en haut de l'escalier, je me suis senti un peu ridicule et j'ai rapidement tourné le dos pour redescendre les cinq premières marches, mais je suis remonté pour finalement entrer.

Je me suis senti bien lorsque je me suis assis devant les cartables pour lire. Je crois que c'est l'ambiance intimiste qui m'a permis de me sentir à l'aise. J'ai donc décidé d'embarquer dans La Boîte. Pourquoi? Tout simplement parce que j'ai le goût de mettre des mots dans cette boîte. Mais aussi parce que je me sens bien ici. L'ambiance me rassure et m'assure possiblement d'agréables rencontres.

Mais par quoi commencer? Bon, disons que je me considère un sportif d'occasion. Ce que je veux dire, c'est que l'été dernier, j'ai fait le tour du lac Saint-Jean et de l'Ile d'Orléans en vélo, 350 km au total; mais ça faisait 12 ans que je n'avais pas monté sur un vélo. Les premières journées n'ont pas été faciles, mais j'ai réussi. À l'occasion je suis aussi un golfeur, un skieur, planche à voile et bien d'autres. J'aime aussi, de temps en temps, aller «grouiller» dans les discos, pas pour..., mais vraiment pour bouger au rythme de la musique et avoir du fun.

J'aime beaucoup les repas intimistes à la maison ou au restaurant. Vins, chandelles, petite musique douce. De plus, lorsque je m'y mets vraiment, je fais des petits plats intéressants.

En général, j'aime les activités de plein-air et être en petit groupe. J'aime aussi le théâtre et le cinéma.

Je suis séparé depuis deux ans. Une semaine sur deux, je partage ma vie avec deux petits êtres humains pleins de vie, d'amour et de tendresse: ma fille de quatre ans et mon garçon de cinq ans et demi. Lorsque je suis avec mes enfants, je trouve très important de remplir mon rôle de père à 100%. De sorte que l'amie ou la compagne future devra accepter cette situation avec ses avantages et ses inconvénients. Ma séparation m'a isolé des quelques relations amicales qu'il nous restait avant la séparation. Depuis cette séparation, j'ai donc une vie sociale plutôt limitée.

Quoi d'autre encore? Je me décris comme un homme simple, authentique et avec un sens de l'humour certain. Je suis un homme très vulnérable. Je me protège parfois très maladroitement par la fuite, mais j'en suis conscient et j'en reviens. Je trouve difficile de vivre ce que je suis, c'est à dire sensible et doux.

Il y a cinq ans, j'étais en pleine ascension professionnelle et sociale. J'ai tout fait sauter pour aller à l'université à plein temps. Vue d'un œil de bon capitaliste, cette décision fut stupide, mais vue d'un œil humaniste, ce fut une très grande libération et une importante victoire personnelle.

Quoi d'autre? Ah! oui! je suis né dans l'est de la ville de Montréal, dans un taudis. Dans la chambre où je suis né, il y avait des trappes à souris, mais mon père n'y était pas. J'ai eu une enfance de mal-aimé. À douze ans, on m'a identifié avec de savants tests psychologiques, comme étant ce que l'on nomme aujourd'hui un M.S.A.

Je suis arrivé à l'adolescence avec la rage au cœur et la colère dans les poings. Je méprisais tous ceux et celles qui osaient porter sur mon épaule une main amicale ou aidante. Mais maintenant, je suis un «Grand Garçon» de 37 ans, pompeusement appelé professionnel, mais depuis peu de temps (un an et demi). Maintenant je me laisse approcher, je me laisse toucher et surtout, j'essaie très très fort de me laisser aimer. Il y a quand même des jours où ça fait mal de laisser pénétrer en moi affection et amour.

J'ai 37 années de «vie», d'expériences de toutes sortes, à partager et à échanger. J'ai vécu des moments pénibles, mais aussi des moments exaltants et euphoriques. Je suis fier «d'être». Je suis fier d'être ce que je suis.

J'ai besoin pour vivre de contact humain. J'ai une grande soif de *vivre*, de connaître, de donner et de recevoir. Aujourd'hui, j'ai pris le risque de me livrer un peu, parce que je veux rester vivant et vivre davantage.

Dans le fond, ce que je recherche c'est une relation qui ne serait pas à sens unique. J'ai beaucoup de choses à dire, mais j'ai des oreilles grosses comme ça pour écouter.

À bonne entendeure, salut!

Grand Garçon, 37 ans, travailleur social

P.S.: J'habite à l'extérieur de la ville, mais je travaille à 15 minutes de La Boîte à mots.

H. Carotte

Grand mince, 6' 1", 160 lb.
Cheveux, yeux bruns.
Enthousiaste, rieur.

Complicité dans une affaire de...

Salut,

Tu piges dans La Boîte à mots et...

Je me présente: H. Carotte. Rien à voir avec la couleur de mes cheveux; je ne suis pas végétarien non plus.

Y a quelques années, j'étais sérigraphe dans l'imprimerie. Grosse production, bonne paie, dur métier et sans grand avenir vraiment. Versatile, je touche maintenant à l'ébénisterie, réalisant mes projets de meubles dans un atelier coopératif; j'étudie aussi à l'école des bois ouvrés.

Pour gagner ma vie, je suis agent de sécurité dans une infirmerie nouvellement construite, réservée aux derniers jours des sœurs de la congrégation de Notre-Dame. C'est tranquille.

Je partage un logement dans le quartier centre-sud, le Faubourg à m'lasse pour être plus précis, avec le Roi de la patate à deux portes de chez moi. Juste au coin d'Ontario. Là, c'est moins tranquille. Le parc Lafontaine n'est pas loin en haut de la rue; j'y vais jouer au tennis l'été, et patiner l'hiver.

Je fais aussi du vélo. Parlons-en! L'été dernier, j'ai fait presque le tour du Québec: de Québec à Montréal en passant par Tadoussac, Rivière-du-Loup, Saint-Georges-de-Beauce, Sherbrooke..., suis encore essoufflé. C'est pas sérieux..., je préfère encore voyager dans l'salon avec ma blonde, à écouter nos sentiments et regarder la T.V.

Justement, on pourrait aller au cinéma ou bien au théâtre ensemble, tu sentirais bon à cause de ton shampooing... Je suis quétaine?

Peut-être..., c'est à cause des mots, j'ai pas l'habitude.

Si t'étais là, devant moi, je te sourirais, ou quelque chose du genre, (pas «à la Humphrey Bogart», j'ai cessé de fumer depuis deux ans).

Je ne suis pas macho, je crois. Intimiste, j'aime les rapprochements, comme chez Bell... Oups, s'cusez.

As-tu une nature simple, avec assez de ruse pour deviner ton chum?

J'anticipe et je désire...

Complicité dans une affaire de...

L'enquête se poursuit.

H. Carotte, 33 ans, ébéniste

Hermès

Au fond de moi, je t'entends faire les cent pas...

Et je serais si heureux de faire ta rencontre! Je vis seul depuis bientôt quatre ans. Ce choix m'a permis de me connaître intimement, sans faux-fuyants. Cette démarche m'apparaissait une étape nécessaire avant de songer à entreprendre une relation à deux telle que j'aspire à la vivre.

Du point de vue de ma carrière et de mes intérêts, je me sens très ouvert et flexible quant à la forme que peut revêtir cette relation: ce peut être à la ville, à la campagne, peut-être même à l'étranger. Ma compagne peut être artiste, avocate ou même sans emploi officiel. Je suis disponible pour avoir éventuellement des enfants (un ou deux).

À mes yeux, ce qui compte par-dessus tout dans une relation, c'est de se sentir bien l'un auprès de l'autre. C'est de pouvoir ressentir et entretenir une complicité profonde ensemble, sans pour autant se perdre dans l'autre. Une complicité telle que lorsque survient un désaccord, il n'y a pas lieu de se barricader et de chercher à tout prix à déterminer un fautif. Je souhaite tisser peu à peu un lien de confiance durable qui donne à chacun la place pour progresser dans son cheminement respectif, et l'ouverture pour partager nos joies, nos peines, nos doutes, nos convictions. Je désire consacrer une place importante à ma relation pour nous donner le temps de nous apprivoiser, de réaliser des projets en commun qui nous tiennent à cœur.

J'ai 33 ans, les yeux bleus, un corps agile. Je suis passionné, tendre et responsable. J'aime rire. Je suis très expressif. Je préfère la réalité, même si elle est déroutante, aux illusions même si elles sont admises. Je suis à la fois mature et vulnérable, rassurant et désirant me faire prendre. J'aime être actif et aussi m'arrêter, prendre le temps de sentir la vie. J'adore échanger des idées, des projets et je sais que certains messages se transmettent au-delà des mots, dans la quiétude de l'intimité.

J'ai plusieurs intérêts: ski, natation, musique, danse-contact, peinture, menuiserie, méditation, théâtre, philosophie, spiritualité, etc. Pourtant, j'ai le sentiment de toujours faire la même chose: donner un sens à ce trop bref séjour sur terre. J'apprends à «mordre dans la vie comme dans un fruit mûr». (Félix Leclerc)

Ma compagne, je l'imagine aux environs de trente ans. Elle a un corps ondulé et souple. Elle est intuitive, perspicace, curieuse. Elle est à la fois féminine et consciente de son pouvoir. Elle est intègre et sensuelle, à la fois douce et déterminée. Elle a des projets auxquels elle tient. Elle désire partager son idéal de femme auprès d'un compagnon de route qui soit son égal. En fait, elle aspire à une vie qui soit source de joie. Elle est ouverte à plusieurs possibilités et elle trouve regrettable que tant de gens se réfugient dans les corridors étroits de leurs certitudes.

Cela semble peut-être complexe, mais en même temps, il me semble que c'est si simple. Pour ma part, j'ai le sentiment d'être parvenu à réaliser tout ce qui m'était humainement possible seul. Je suis prêt à commencer une nouvelle vie, aussi profondément satisfaisante que celle qui vient de se terminer. Ce nouveau bout de route, je désire que nous l'inventions ensemble. Sans concessions à ce qui nous apparaît essentiel.

Si ces quelques lignes te semblent familières ou évoquent quelque chose pour toi, fais-moi un signe par lequel je te reconnaîtrai...

Hermès, 33 ans, consultant, enseignant

Ici maintenant

Qui suis-je?
Un ouvrier instruit!
Un produit du mouvement hippy de la fin des années 60
et un militant de gauche durant dix ans.

Pourquoi pas?

Pourquoi pas vivre ici maintenant?

Depuis que je suis un adepte des trois «quelque»...

quelqu'un à aimer!
quelque chose à faire!
quelque chose à désirer!

je trouve la vie beaucoup plus simple et moins stressante.

Qu'est-ce que j'aime le plus?

Me retrouver avec des amis pour la fin de semaine, une semaine ou plusieurs semaines en bicyclette, en canot ou en ski de fond.

Qu'est-ce que j'aime d'autre?

— Aller au cinéma (films qui nous parlent) ou assister à du théâtre-spectacle (drôle);

— recevoir à l'occasion pour un repas (j'ai été cuisinier huit ans);

— voyager en dehors des circuits touristiques (ex.: apprendre la langue du pays et adapter son moyen de transport pour maximiser la communication avec les gens du pays);

— être informé sur presque tout;

— suivre des cours;

— participer à l'éducation de ma fille de neuf ans;

— toutes les danses, sauf disco;

— toutes les musiques, surtout le jazz.

Qui es-tu?

— Tu n'es pas traditionnelle;

— tu «essaies» de vivre l'égalité entre les hommes et les femmes;

— tu aimes vivre des relations qui évoluent;

— tu prends soin de ta santé (alimentation, exercices);

— tu attaches plus d'importance à ce que l'être humain *est* qu'à son déguisement;

— tu ne recherches pas nécessairement la vie de couple;

— tu as environ 40 ans, plus ou moins, d'une grandeur et d'un poids proportionnés à mes 5' 8" et mes 150 lb;

— tu as le goût de vivre *ici maintenant.*

Ici maintenant, 45 ans, chauffeur de taxi
en réorientation

James Blo

James aimerait rencontrer une fille ou une femme
qui a entre 18 et 24 ans. De préférence non fumeuse.
Il a les yeux bruns et un visage très séduisant.
Très ouvert aux autres. Très romantique aussi.
Et, très important, le texte qui suit est plus sombre que la réalité.
Car il y a des jours (beaucoup) où James éblouit.

James Blo! Non, ce n'est pas mon nom, mais celui d'un de mes personnages. Il me ressemble beaucoup, tellement que j'ai décidé de l'employer pour cette cause, une lettre à La Boîte à mots. Première ressemblance, ses initiales, les mêmes que les miennes.

James Blo est un être tendre... c'est pour ça qu'il a un très fort penchant pour l'écriture qu'il explore dans son journal. Mais, tient-il vraiment un journal, ce camarade imaginaire? Je ne me le suis jamais demandé. Moi, j'en tiens un; lui, par contre, je viens de le décider, n'en tient pas. Son écriture, il l'explore en faisant de la vraie littérature. De ce côté, il me dépasse de beaucoup, moi qui prend beaucoup de temps à écrire; j'ai encore beaucoup de style à apprivoiser. Je n'ai même pas encore réussi à trouver un milieu de vie pour ce pauvre James, sauf peut-être, puis-je dire, que c'est une triste aventure.

Triste! Je le suis souvent. Moi et James, étant tendres, sommes portés à ruminer beaucoup le mal qui croît partout dans le monde. J'exagère un peu; cette tristesse nous vient surtout de notre petit monde et de nos relations avec nos amis, nos parents, nos employeurs, etc...

James Blo est un grand solitaire, mais il ne répugnera jamais à avoir de la compagnie, si les autres l'acceptent. Dès qu'il se sentira de trop, que les autres en auront assez, il s'en ira en prenant la porte de côté, ne voulant pas que son départ fasse trop de bruit. Il n'aime pas être en gang, toutes ses tentatives ont échoué. Ses habitudes de solitaire sont trop ancrées solidement en lui pour qu'il puisse s'adapter. Son comportement songeur fait souvent parler de lui.

Mais il sait quand même être joyeux. Quand il n'a pas de soucis, on peut apercevoir, sans trop d'effort, ses yeux brun foncé qui brillent. La relation que recherche le plus James, c'est une relation d'intense amitié avec une fille qui a beaucoup à recevoir... et à donner, bien entendu. James, comme moi, est Balance.

Je ne sais pas ce que James aime comme musique. Ce que j'aime le plus, c'est la musique alternative, mais je reste quand même ouvert aux goûts des autres. Ce que j'aime le plus dans cette musique, qualifiée par certaines langues de musique de fous, de malades, de punks, c'est la sensualité qui s'en dégage.

J'aime aussi les filles alternos; à mes yeux ce sont elles qui sont les plus sensuelles. Ce sont elles qui sont aussi les plus belles songeuses. Les sourires timides qu'elles me lancent ont de quoi bouleverser mon cœur tendre. Étant moi-même très timide, encore plus que James, j'ai souvent un regard qui s'éloigne alors, qui se cache. Ai-je peur de la suite? Ai-je peur de découvrir en cette fille ce que je ne veux pas? Ai-je peur de lui faire mal? Il y a là un problème que nous sommes en train de régler ensemble, moi dans la vie, et James dans ses aventures avec Ingrid et Sophie, dans l'histoire que j'essaie de lui faire, de lui écrire.

Je sors souvent dans les clubs alternatifs. Souvent seul... Souvent aussi avec des amis. Là-dedans, ce que je n'aime pas de certains gars, c'est la façon qu'ils ont d'approcher les filles. On dirait qu'ils le font comme s'ils étaient à la chasse. Pour ma part, je ne chasse pas. Je danse beaucoup, énormément. Alors, quelquefois, assis dans un coin, au bar, près de la piste de danse, debout, ou près des escaliers, s'il y en a, et même en dansant, je croise un regard plein de chaleur. Quelquefois un sourire s'échange. Sourire parfois difficile à discerner, parfois évident.

Et malheur, je tourne la tête. Peur? Gêne? Quand j'essaie de raccrocher ce regard plein de tendresse, je m'aperçois que la magie qui flottait dans l'air, à l'instant même, a disparu. Elle n'essaie plus de me regarder, de me sourire. Je m'en veux parce que je n'affronte pas. Au moins je m'améliore, je le sais, j'affronte de plus en plus souvent la magie. Et de plus en plus souvent, étincelle il y a.

J'adore le cinéma. J'y vais à chaque semaine, sauf empêchement.
J'adore lire, et... écrire.
J'aime les bons restaurants.
Et la musique alternative.
Et..., à toi de le découvrir.

James Blo, 22 ans, agent de sécurité

Jusant

Simple sans être simpliste, je privilégie l'action au statu quo.
J'aime beaucoup les activités de plein-air,
ça me permet de trouver l'hiver fort supportable.
Au dernier recensement, je mesurais environ 5' 9"
et je suis châtain aux yeux bleus.

Hélas, ou heureusement, à vous d'en juger, je ne suis pas le plus grand des romantiques. La romance pour la romance, ça me fait frissonner. Je suis davantage intuitif, je préfère plutôt me glisser tranquillement dans un contexte donné et me laisser aller tout naturellement. Pour moi, c'est comme cela que peuvent se développer la complicité, la confiance mutuelle.

J'aime bien me confronter à de nouvelles situations. C'est ce que je vis actuellement sur le plan professionnel. Formé dans le milieu scientifique, je travaille présentement dans un tout autre secteur, soit celui des communications. Le changement de cap me plaît. Il n'est pas facile, il est vrai, de remettre le compteur à zéro, mais ayant plusieurs intérêts, je me vois mal ne faire qu'un seul métier dans ma vie.

Cela m'anime beaucoup de surprendre et de me surprendre: cogner à une porte sans être attendu, amorcer une conversation avec un inconnu, réaliser quelque chose que j'estimais hors de portée.

On se prend toujours trop au sérieux, il est vrai. C'est pour cela que j'aime bien parfois détendre une atmosphère par quelques remarques humoristiques. Au fond, rien ne fait davantage de bien qu'un peu de chaleur humaine. On l'a tous déjà ressenti.

Jusant, 29 ans, journaliste

La Bottine souriante

Grandeur: 5' 5", poids: 128 lb, cheveux: oui, yeux: bruns. Signe astrologique: Taureau (ascendant Verseau peut-être), et j'en passe...

Aimez-vous les bottines?

Madame, si vous êtes une adepte de la bottine, ce texte saura sans doute vous plaire. Mais si au contraire ce n'est pas le cas, je vous invite tout de même à le lire. Sait-on jamais, vous changerez peut-être d'avis en cours de route ou, au pire aller, cette lecture vous aura, j'ose l'espérer, procuré un quelconque agrément.

Avant de passer au sujet central de mon texte, les bottines, j'aimerais, puisque le thème s'y prête bien, vous faire part de mes goûts personnels sur l'habillement en général. Pour être plus précis, de mes goûts sur les vêtements de la tête aux... chevilles.

Pour être franc avec vous, j'adore les vêtements! Ainsi, suivant l'occasion, j'aime bien m'habiller différemment: tenue sport, à la mode, endimanché un tant soit peu, etc., au point de parfois me demander si ce sont les vêtements qui influencent, d'une manière ou d'une autre, notre comportement ou si c'est plutôt notre tempérament, personnalité ou humeur du moment qui influence le choix des vêtements, couleurs et styles que nous adoptons. Qu'en pensez-vous? De toute façon vous serez sans doute d'accord pour admettre que les vêtements n'en constituent pas moins une forme d'expression non verbale à la portée de tous et de chacun, n'est-ce pas?

Cependant, attention: l'habit ne fait pas le moine. Absolument pas! En d'autres mots, peut-on changer son apparence grâce aux vêtements? Peu probable. Et peut-être vous posez-vous maintenant la question: «Est-il beau, laid, ou... aucune de ces réponses?» Je vous laisse décider...

Maintenant dénouons les caractéristiques de la bottine souriante d'un peu plus près. Tout d'abord, je dois reconnaître que j'ai été inspiré du choix de ce nom par un groupe folklorique québécois que j'aime bien et qui s'appelle, vous l'aurez deviné, La Bottine souriante.

J'ai choisi ce nom pour deux raisons principales. La première est que chacun des deux mots qui le composent décrit assez bien ma façon de vivre et de penser et la seconde, tenez-vous bien, c'est parce que j'aime les bottines, tout simplement.

1) La bottine. Pour moi, elle symbolise le désir d'explorer le monde, de nouer des contacts humains nouveaux et de s'enrichir de la connaissance de soi ainsi que de celle des autres. Aussi curieux qu'elle donc, la découverte du nouveau et le goût du défi ont pour moi beaucoup d'attrait. Bien sûr, comme tout le monde je n'aime pas beaucoup les échecs. Je les accepte bien cependant, car sans échecs le succès deviendrait vite ennuyeux!

2) Souriante. Un sourire vaut mille mots. Mais soyez sans crainte, je ne les écrirai pas. Comme vous l'avez peut-être constaté, j'aime beaucoup l'humour, le rire, l'amusement. C'est de famille peut-être. J'en sais trop rien. Mais peu importe, la vie est tellement plus facile quand on ne la prend pas trop au sérieux. Je ne vous apprends sans doute rien si je vous dis que le sourire est l'expression du visage la plus naturelle et la plus belle aussi. Ça vous fait sourire un peu. Rassurez-vous, moi aussi!

Voilà pour les caractéristiques. Il ne reste qu'une seule chose maintenant: l'autre bottine. Celle qui me manque, bien sûr! Comment est-ce que je la vois? Eh bien, assez semblable à la première naturellement. Que dirait-on de voir une personne avec deux bottines tout à fait différentes? «Pas très futé le type…»

En résumé donc, si vous aimez les bottines, que vous avez un bon sens de l'humour et que vous aimez ce qui est différent, alors vous êtes la bottine, euh! pardon, la personne que j'aimerais rencontrer.

À bientôt j'espère,

La Bottine souriante, 29 ans, prof. de français
et étudiant à la maîtrise

Le Rayon vert

Un grand et mince châtain aux yeux bleus, à la gueule sympathique.
Intello mais surtout pas au point de se couper de la vie.
Et en parlant de vie, j'ai le goût d'y mordre, et pourquoi pas à deux...
(au moins de temps en temps).
Note: Sans que ça soit exclusif, j'aimerais rencontrer quelqu'un
dont l'âge varierait entre 25 et 35 ans.

Chère boîte-à-mots-phile,

En me présentant sous le nom de plume «Le Rayon vert», je me trouve du coup à introduire quelques facettes de mon «moi-même».

De prime abord, un aveu fort explicite: ma passion pour le cinéma d'auteur(e) et la séduction qu'exerça sur moi ce film d'Eric Rohmer (mais vous n'êtes pas obligée, ni de l'avoir vu, ni de l'avoir aimé comme moi). En clair, je bouffe goulûment les «petites vues», et porte un intérêt marqué aux diverses formes d'expression artistique.

Mais il y a plus. Je me suis senti rejoint par quelques traits de la personnalité de l'héroïne (Delphine). Je crois que perdurent en moi des petits résidus de romantisme, une sensibilité certaine, une fragilité même vis-à-vis la vie et les gens qui m'entourent. Ces traits, Delphine me les renvoyait, ainsi que cette quête perpétuelle des sommets, qui me donne le goût d'aller toujours plus loin, parfois seul.

À la différence de Delphine toutefois, j'essaie de vivre aussi au présent, pleinement, sans nier mon désir d'aller de l'avant. Contradiction? Peut-être. Mais, je dirais plutôt volonté d'intégration d'une vie qui se construit dans tous les registres, en alliant ce qui nous a fait à ce que nous voulons être, tout en tentant de goûter, de mordre au passage les beaux instants. Quête d'équilibre, sans faire dans le «drabe».

Enfin, dernier élément qui renvoie au film, c'est le rayon vert en lui-même. Cet instant magique où le soleil rencontre la mer, déclenchant un rayon qui reflète le choc merveilleux de la rencontre. Pour moi, il en va de même des rapports humains. Impossible de savoir ce qui découlera d'une rencontre. Comme pour le rayon vert, il faut des conditions précises pour que la magie, la chimie se produise.

Mais comment savoir si les conditions sont réunies, sans la rencontre...

Cela dit, qui rechercherai-je? Au niveau physique (on ne peut nier cette dimension essentielle), sans avoir de type idéal, je dirais que répondant peu au stéréotype du «vrai gars» (lire macho), je ne suis pas en quête de la femme fatale, répondant, elle, à un modèle hyper féminin. Je ne suis pas non plus en quête de la «beauté». Équipé d'une gueule sympathique, je cherche à rencontrer cette autre gueule sympathique qui «nous plaira». En résumé... faut voir.

Au-delà, j'avoue ne pas écrire à La Boîte à mots pour me faire de nouvelles amitiés. Des amitiés fidèles, j'en ai. Mon désir de rencontre se situe à un autre niveau. Un niveau qui permet de vivre la complicité, la tendresse, la sexualité. Un niveau «amoureux», avec tout ce que ça comporte de beaux instants et de compromis. Jouer au prince et à la princesse ne me tente guère. Je lui préfère une relation plus équilibrée et égalitaire, où peuvent s'allier instants de folie et solides racines. Mais ici, on rejoint l'imprévisible, la magie...

Que dire de plus! Je pourrais vous parler de mon goût pour les voyages, mon attirance actuelle pour l'Asie (mais c'est pas exclusif).

De mon amour pour la musique africaine (vous voyez, l'Afrique maintenant!), et tous ces «rythmes du monde». De mon amour pour la nature et le plein-air, de l'importance que je porte à découvrir les gens, les peuples, sans être «aventurier», mais plutôt curieux, découvreur.

Et justement, parlant de découverte...

Le Rayon vert, 32 ans, chargé de cours
(travail social)

Les Grands Espaces

Équilibré, honnête, loyal, compréhensif, franc, pratique, actif,
modéré, positif, passionné, sans préjugé.
De l'humour.
Sans prétention.
Traits... très intéressants.

Depuis une fenêtre de ma retraite, j'observe la neige qui tombe. Je m'interroge. Il y a encore tant de choses à faire. Tant à accomplir. Mais ce matin, un travail urgent est à faire. Un travail difficile.

Tu sais, je ne t'ai pas écrit depuis des années. Je prends ces quelques instants pour te dire que tout va bien maintenant et je m'empresse d'ajouter que 1985 a été pour moi une année mixte. Un grand échec sentimental. Mais aussi un bon nombre de victoires personnelles. Ça ne m'a pas changé.

J'ai toujours les cheveux et les yeux bruns. Le teint foncé. Le visage symétrique. 5' 8", 135 lb. J'ai un peu maigri.

Il y a bientôt un an que je ne fume plus. Je m'entraîne pour un 5 km. Ne t'en fais pas. La fumée ne me dérange plus. J'enregistre ma musique un peu plus souvent.

Je prends toujours un peu de temps pour penser à toi. Je voudrais t'offrir les roses, les lilas, les pivoines, etc. Je n'ai plus à les couper. Elles poussent toutes chez moi. Dans mon jardin.

Depuis ma fenêtre, il neige toujours et tout est tranquille. Sauf pour mon âme qui est devenue un ouragan de passions.

Il faut que tu me donnes de tes nouvelles. Ça fait déjà trop longtemps.

Tendrement,

Les Grands Espaces, 28 ans,
électro-mécanicien

Molière

Entre trois projets, deux comités et une pige.
Bien déterminé à apprendre son métier de père, d'amant et d'homme.

Chère amie,

Permettez-moi de me présenter. D'abord, fiche signalétique. On fait abstraction de ces détails à ses risques. 5' 8", 140 lb. Svelte. Pas de petit bedon, ni chaîne de montre à l'appui. Début de quarantaine galopante, je le crains, mais on m'en donne volontiers trente-cinq. Si, si, vous verrez. Sain de corps et qui entend le rester, ce qui ne va pas de soi par les temps qui courent.

Divorcé, père de deux enfants: une fille de 16 ans et un petit gars de 11 ans. Déjà. Mon aînée étudie à Stanislas et son frère la rejoindra l'an prochain. La famille est, entre autres, une communauté de travail, et une formation de qualité constitue le meilleur des investissements. Cette responsabilité donne à ma vie un sens. Ne pas l'assumer serait me trahir. J'entends y consacrer le temps et l'argent requis pour que ces jeunes disposent de ressources morales, intellectuelles et matérielles leur permettant de tirer leur épingle du jeu. Ceci dit, si ma paternité me tient à cœur, mes champions bien-aimés ne sont pas omniprésents et je n'ai aucune intention de les imposer à ma compagne.

Antécédents? Fils de métallo, d'artiste de la radio et de gestionnaire. Côté maternel, commerce bancaire. Une tante exploitait une galerie d'art assez connue. Glèbe aux semelles si l'on remonte deux générations. Douze enfants élevés avec un champ de patates et une vache à Saint-Isidore. Le coq chante sur le fumier!

Formation en lettres anglaises et américaines. Profession? Traducteur-rédacteur, en poste et à la pige. Très engagé dans ma carrière. J'ai récemment coordonné un petit cours de traitement de texte, communication et typographie offert par une association professionnelle. Quelques publications et une chronique linguistique me permettent de ne pas perdre la main. Perspectives de formation continue en gestion. Sports: jogging, ski de fond, haltères, natation, camping, etc. Parachute en ma folle jeunesse. Il me reste à descendre la rivière Rouge en bombard.

Passionné? Pour les bains de bulles et câlins de qualité, point de super- ego. Fervent d'éducation anglaise à la recherche d'une écolière? Pas tous les jours. Si une sensualité explicite, ardente, et rieuse m'attire, c'est que je m'attache à la combler. Voilà pour l'empire des sens et des indécences. Je confesse une prédilection pour les brunettes. Sous le rapport des ethnies, je serais volontiers citoyen du monde. Quant aux chemins du cœur, je m'avouerai séduit par une femme de carrière qui possède maîtrise professionnelle, cran, esprit de stratégie, ténacité.

J'estime que la solidarité au sein du couple découle d'une volonté partagée de réalisation qui nous garde fidèle à la belle idée que l'on se fait de soi-même et d'autrui.

Confiance!

Molière, 42 ans, traducteur-rédacteur

"AUTOPORTRAITS"

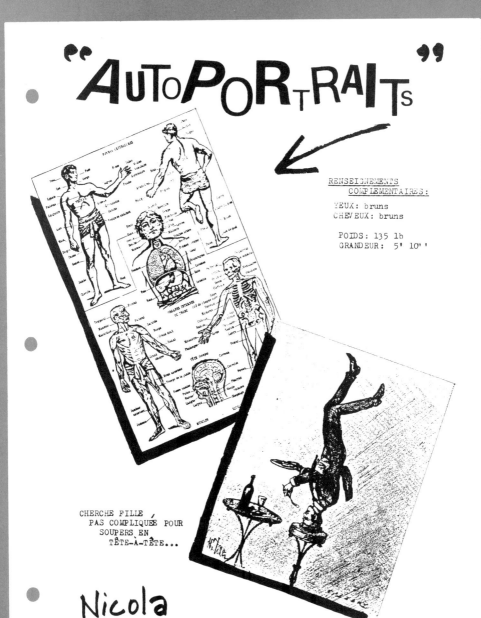

RENSEIGNEMENTS
COMPLEMENTAIRES:

YEUX: bruns
CHEVEUX: bruns

POIDS: 135 lb
GRANDEUR: 5' 10''

CHERCHE FILLE
PAS COMPLIQUÉE POUR
SOUPERS EN
TÊTE-À-TÊTE...

Nicola

Nicola

De cœur et de raison...

— Elle peut donner et aussi recevoir.

— Elle a de bons amis, mais la solitude ne lui fait pas peur.

— Elle est un peu téméraire, mais n'envisage pas de faire le tour du monde à dos de chameau.

— Sûre d'elle-même, déterminée, elle est rarement entêtée.

— Sans se prendre au sérieux, elle peut tenir une conversation au moins pendant 48 heures de suite.

— Elle a de la suite dans les idées, mais n'a pas d'idées toutes faites.

— Elle est spontanée, enthousiaste, franche et généreuse.

— Elle possède un bon sens de l'humour.

— Elle a peu d'intérêt pour les discothèques. Et le bingo.

— De préférence elle est mince, mais surtout bien dans sa peau.

— Elle ne consulte pas un astrologue pour connaître son avenir et elle est en paix avec son passé.

— Elle peut rire et aussi être sérieuse.

— Si elle se maquille, ce n'est que discrètement. Ses cheveux sont naturels.

— De préférence elle détient un prix Nobel en physique et peut parler au moins sept langues.

  OU

— Elle possède un intérêt marqué pour le cinéma, le théâtre et les soupers en tête-à-tête.

— Elle ne prétend pas correspondre parfaitement à ce profil, mais désire quand même m'écrire prochainement.

Nicola, 30 ans, consultation
en communication graphique

Pâris dans Paris

Talentueux, créatif, noble, dynamique.
Élancé, 6', 175 lb.
Je plais.

Le tamis
(Quel titre grotesque mais énigmatique,
vous en conviendrez)

Bonjour, (très solennel, un peu froid, par nécessité)

En vue de rebuter les candidates les plus chambranlantes, voici la liste —
non exhaustive — de mes travers et défauts mineurs (je vous dispense, pour
cette fois, de mes majeurs défauts). Je vous la défile un peu au hasard.

Voilà donc cette liste terrifiante, autant par son ampleur que par la portée
de son contenu, voici, voici: Tout d'abord (vous l'avez sans doute noté, et
vous lisez malgré tout), je suis outrancier, excessif, emphatique dans mes
actes comme dans mon écriture. Je suis un peu arrogant, parfois cabotin (en
avez-vous assez? Non, vous poursuivez, attendez le prochain travers!). Je
contiens une grande violence (pas si grande tout de même) que je sublime
dans sa presque totalité en créations artistiques — ou tendresse profonde, car
je crois sincèrement, pour l'éprouver chaque jour, que les contraires communi-
quent souterrainement. Autant je sais être drôle, autant je sais être noir;
pour tout dire, je suis un peu ténébreux, mais j'ai un intuable optimisme en
moi.

L'existence, pour moi, c'est un travail. Attention. Ne vous méprenez pas
sur le sens de mes paroles. J'ai voulu dire (et j'ai dit), non pas que j'ai sans
cesse le doigt sur la gâchette, mais que le temps imparti est si court et si
précieux qu'il faut savoir bien l'employer (et aussi, bien le gaspiller, aurais-
je dû ajouter).

Voilà, ça va sortir bêtement: je refuse une chose — tout en respectant ceux qui la vivent et la recherchent (la chose) — le bonheur simple et facile, dans le genre tableau-maison-à-la-campagne-avec-gentil-soleil-et-vieille-barrière-vermoulue.

Je suis complexe et jusqu'à preuve du contraire (et les contraires s'attirent, dit-on, en oubliant ceux qui s'assemblent parce que semblables), j'aime les gens complexes. (Mon Dieu! je m'aperçois que je parle presque tout seul tant j'effarouche. Je vois deux ou trois têtes et le reste des troupes est en déroute. Pour elles, je continue.) Ah! oui! j'allais presque oublier: je suis exigeant. Une seule exigence pour pouvoir être exigeant: être en mesure d'offrir autant qu'on demande et, je le dis humblement (ce seul mot vous rend suspecte ma réelle humilité), j'offre beaucoup.

Ce qui me sert de charnière pour vous parler de mes qualités (là je crois que ce sera moins long; non pas par pénurie, mais parce que je suis fatigué, un peu). Premièrement, et ce n'est pas si commun comme qualité, je sais m'évaluer à ma juste valeur, sans vantardise, sans fausse modestie: je suis talentueux, attirant, réservé... mais non pas fade. Je suis ambitieux — dans le sens le plus noble du terme — et toutes mes énergies (non, pas toutes, il exagère) sont canalisées vers un but à la fois professionnel, social et, pourquoi pas, relevant d'une certaine élévation: réussir ce que j'aime le mieux: créer des chansons (tiens, c'est bizarre ça). Il vous faudra donc, lectrices (je ne suis plus certain d'être obligé de mettre un «s»), adorer la musique et la grande poésie, je ne dis pas la mièvrerie et le nombrilisme attendri; est-ce que j'ai dit musique classique? Non, pas nécessairement.

Je crois que c'en est assez.

Quel est le visage et le corps qui se cachent (se «cachent», non, pas vraiment) derrière cette écriture? se demandera la dernière lectrice. Il est grand, élancé, il plaît, assurément.

Contre toute apparence, il se croit parfaitement équilibré (toujours se méfier de ceux qui se disent tels); malgré les apparences, il est grave, profond, sérieux, et, malgré les apparences encore une fois, il n'est pas encore assez imbu de lui-même pour ne pas écouter l'autre. C'est une de ses très grandes qualités, la qualité de son écoute.

Pâris dans Paris termine tout ceci par une supplique très chouette:

«Ô toi, téméraire aventurière qui, malgré les avertissements terribles de ta droite conscience, a poursuivi, sans détourner une seule fois les yeux, la lecture de cet abject parchemin autrement que pour le seul plaisir de lire, tu peux, si tu le désires en ton âme et Conscience (à tes risques et périls, il veut dire le Monsieur) accepter, *assumer* de connaître le tortueux scribe (etc., etc.,) de ces lignes incendiaires.

«Ô toi, qui, entres toutes, a persévéré, avec empathie et sympathie, jusqu'à la lire cette supplique somme toute assez lourde (d'accord avec lui), Ô toi, toi, tu peux le connaître le tortueux scribe de ces lignes incendiaires.»

Pâris dans Paris, 24 ans, étudiant

Pélican

Intellectuel, un peu bouffon, plein de projets et réservé.
5' 4" (5' 5"?), cheveux châtains, yeux clairs.
Je pense politique, carrière et chaleur humaine.

Une première impression

Bonjour,

J'ai l'habitude de l'écriture, mais certainement pas celle de la correspondance. Tu comprendras sans mal que j'ai dû m'exercer à plusieurs reprises avant de t'écrire une lettre convenable. Voici un bref aperçu de mes tentatives.

1er essai:

«Je désire me faire connaître sur la base d'un équilibre: en évitant la tentation de la confession un peu mièvre autant que celle du trait d'esprit...»

Ouais... Le ton y est mais pas la vérité. En fait, j'aime bien le trait d'esprit. Dans les limites de la civilité, bien entendu.

2e essai:

«Kundera, cette étoile dans le firmament de la littérature contemporaine...»

Là, mon chien est mort. *Forget it.*

3e essai:

Une lettre de cette nature, aussi détaillée fut-elle, ne laissera toujours qu'une première impression de son auteur. J'opterai donc pour la brièveté et une (relative) sobriété. Voici, énoncés en vrac, quelques aspects de mon «qui suis-je».

— Passion: connaître.

— Ambition: une certaine reconnaissance publique; pouvoir me dire, à la fin de mes jours, que j'ai été socialement utile.

— Manie: vérifier par trois fois, avant de partir, si mon chat est toujours à la maison.

— Qualité: empathie

— Défaut: m'imaginer le pire

— Particularité: aime la solitude

— Côté mignon: humour

— Préférence: une professionnelle, ce serait bien; si elle est cultivée, motivée, sensible, ce serait encore mieux.

— Motivation à écrire cette lettre: il y a bien, quelque part, comme un cri du cœur...

Au plaisir de correspondre,

Pélican, 28 ans, chercheur pigiste
en sciences sociales

Petite fleur

Je désire rencontrer une personne pour échanger des idées,
partager des loisirs et fleurir ma solitude.
Hum!… ça fait pas sérieux, ce que je viens d'écrire là, ou trop…
Je résume donc en d'autres termes:
Partager La vie et tomber en amour!

Comment vous dire

Comment vous dire
Sans vouloir vous séduire
Comment vous dire
Sans pour autant vous mentir
Comment vous dire
Sans vous voir fuir.

À la fois terre à terre et rêveur, passionné et froid, compréhensif et rancunier, divisé entre l'avenir et le passé, « je suis l'homme prisonnier des extrêmes».[1] J'aime le soleil des matins d'été et la froidure des beaux jours de janvier alors que le soleil, brillant et incliné, révèle sa douceur et sa vigueur.

Adepte de plein-air, je me retrouve sportif, rêveur et surtout moins seul. Actif et curieux de nature, je cherche à comprendre ce qui m'entoure tant sur le plan social que scientifique. Accordant aussi une place à la chanson, la musique et aux arts en général dans la mesure où, à travers l'œuvre, je vois l'expression de la vie.

---

[1] *Les Trottoirs de l'éternité*, Valérie Lagrange et Jan Jelfs

Permettez-moi de vous citer, en guise de conclusion, ce beau texte du poète Guillaume Apollinaire.

Le chat

«Je souhaite dans ma maison:
Une femme ayant sa raison,
Un chat passant parmi les livres,
Des amis en toute saison
Sans lesquels je ne peux pas vivre.»

Petite fleur, 28 ans, planification
en production

Plume Larenverse

Si c'est vrai que la vie commence à 40 ans, je m'y prépare allègrement.
Comment? En faisant de plus en plus ce que j'aime.
Sur le plan professionnel, j'adore les communications.
La communication au sens propre aussi.
Dis-moi qui tu lis, et je te dirai qui je suis...

À l'orée de la quarantaine, il paraît que je n'en fais que 26 ou 28 tout au plus. C'est toujours ça de pris. Ceci étant dit, je suis heureux et bien dans ma peau à 36 ans. Si c'est vrai que la vie commence à 40 ans, je n'en serai que mieux préparé...

À part ça, je suis beau (hum). Mon miroir se tue à me le répéter. Sans me convaincre parfaitement, il me fait réfléchir. Même si c'est lui qui devrait le faire. Je suis jeune aussi. Je vous l'ai déjà dit: 28 ans. Et riche, de l'intérieur surtout. Pour la richesse matérielle, navré. Je ne possède pas le talent nécessaire qui me permettrait de choisir instantanément les numéros qui feraient de moi un nouveau riche de la Loto-Pauvrec. Mais heureusement, je possède un meilleur doigté pour choisir la combinaison gagnante donnant accès au trésor caché que tu représentes sans aucun doute et que personne — tant mieux pour moi — n'a encore découvert.

Comme bien d'autres, je suis fatigué de la distorsion des communications, surtout dans les bars. Je privilégie davantage la connaissance patiente, l'apprivoisement sage de l'autre. Comme l'on préfère un bon repas pour le plaisir des sens à un hamburger englouti pour étouffer la faim.

Ainsi, j'aimerais bien te découvrir par tous les sens, dans tous les sens. Lentement. Sans brusquerie. Dans le plus pur respect de l'autre. Aussi loin que... À chacun sa limite, n'est-ce-pas?

Alors, si le cœur t'en dit, j'y mets tout le mien. Car se prendre en main, c'est dresser la table à la fête; parce que te connaître, vaut bien que l'on sorte le plus beau couvert.

Pour que la surprise soit moins grande, j'ajoute que je suis sensible, rêveur, idéaliste, sentimental, curieux, à la recherche d'un certain absolu, mais d'une façon toute relative. J'adore la musique, j'en fais pour mon plaisir (la guitare), le cinéma, la lecture, l'écriture (tu me crois). Je suis assez sportif par goût et par conviction. Être beau dans la tête veut aussi dire lui réserver un socle solide. Je m'adonne au tennis, à la natation, au vélo, au golf et... à tout ce qui bouge.

Assumant bien mes paradoxes, je suis aussi, tranquille, solitaire, sauvage un peu parfois, paresseux à mes heures, de cette divine paresse qui nous fait détester toute action.

Alors, entre moi et son envers, tu as le choix. Tu as le choix de découvrir aussi l'équilibre que je vise entre les deux et qui fait que je suis ce que je suis au carrefour de mon antithèse.

Si tu souhaites aussi briser le cercle des rapports insatisfaisants, nous avons déjà un point en commun. Pour le reste, le plaisir de la découverte en vaut bien d'autres. Mon facteur me réserverait-il une surprise pour bientôt?

Plume Larenverse, 36 ans,
conseiller en information

Remige primaire

Fiche technique: 32 ans, 5' 8", 170 lb, yeux bleus,
cheveux blonds et clairsemés.
Né en janvier 1954, ce qui fait… voyons voir…
Capricorne ascendant Lion, Serpent ascendant Chien
(quelle ménagerie! — assez décoratif, non?).
Bref, l'honnête moyenne du type normand-saxon.

L'épiphénomène humain

(Le titre n'a absolument aucun rapport,
par contre ça sonne bien)

D'abord, l'autoportrait:

Ordinairement, il s'agit d'aller du général au particulier. Je n'irai pas jusqu'au particulier. Étant en général minutieux pour ce genre de choses, ça n'en finirait plus; en outre, personne n'a jamais fait de ce genre de choses de la très bonne littérature, et ce n'est même pas mon métier que d'écrire.

Des amis diraient:

— c't'un cérébral (c'est-à-dire utilise ou tente d'utiliser le maximum de ses ressources naturelles au-dessus des clavicules);

— c't'un gars plutôt straight (c'est-à-dire par opposition à évaporé, inconsistant, frivole, lunatique, etc…);

— c't'un sensible (c'est-à-dire que l'usage de son cerveau n'a rien atrophié des autres facultés);

— c't'un solitaire (c'est-à-dire que ses instincts grégaires ne sont pas très puissants);

— c't'un entêté (c'est-à-dire persistant, tenace, intransigeant sur certaines choses).

et probablement autre chose…

Ce que j'en dirai, avec quelques nuances, pour bien faire les distinctions, se résume à ce que j'appelle mes enlignements.

Je suis rêveur

(c'est-à-dire que je m'occupe de mes rêves, et je ne poursuis pas de fantasmes ou de chimères)

Je suis ambitieux

(c'est-à-dire que je me suis fixé des objectifs exigeants, mais je n'ai aucun goût pour les feux de paille)

Je suis moyenâgeux

(c'est-à-dire que j'ai de l'estime surtout pour la dignité, l'honneur, le cœur, l'esprit par opposition à la moralité, les principes, les convenances, la politesse et à toute autre forme organisée d'indifférence ou d'hypocrisie)

Je suis idéaliste

(c'est-à-dire que je préfère l'utopie au désespoir; je préfère avoir une vision constructive de la réalité au fatalisme)

Je suis assoiffé de connaissances

(c'est-à-dire que j'éprouve un plaisir indécent à en apprendre tous les jours)

Je suis intolérant

(c'est-à-dire que ma patience s'épuise très tôt devant la stupidité, l'ignorance, la laideur, la grossièreté, c'est-à-dire la simple bêtise)

Je suis chaleureux

(c'est-à-dire plus à l'image de la braise que du feu de paille)

Je suis sensuel

(c'est-à-dire que j'aime étreindre, et être étreint)

Je suis calme

(c'est-à-dire un comportement en général non explosif)

Pour la suite, ben, faut voir...

J'aime:

— Bach, Beethoven, et toute musique aussi substantielle
— les excellents films
— lire
— la forêt, l'eau, la montagne, le désert, la mer...
— marcher
— mon boulot

Je déteste:
— tout un tas de choses, mais je ne m'en préoccupe pas trop; ça ne m'empêche pas de dormir

Je souhaite créer un lien avec une femme:
— en bonne santé, corps, tête, cœur. C'est-à-dire en pleine possession de ses moyens. Je ne désire d'aucune manière construire une relation thérapeutique, même pas de convalescence

J'ai envie d'une femme vivante, entière, fière de son âge (aux environs de 28 à 34 ans).

Je cherche une femme qui sache parler et écouter, c'est-à-dire des choses à dire et des questions à poser et à se faire poser.

Je cherche une femme non dominée par la peur de quoi que ce soit.

Peut-être que j'exagère.
Je ne le pense pas.
De toute façon je n'ai pas le désir de lésiner.
Je pense qu'il y a des compromis qui compromettent trop dangereusement des choses trop précieuses...
Enfin si tu as lu jusqu'ici sans sauter de paragraphe et si ce que j'écris te fait sourire, parle-moi, ça risque d'être... intéressant, au moins.

Au plaisir,

Remige primaire, 32 ans, architecte

Sax ténor

J'aimerais correspondre et éventuellement rencontrer une fille de mon goût. Comme je ne suis pas du type «cruiser», j'ai aimé la formule de La Boîte à mots. Voilà!

Je suis un *small town boy* qui cherche une *small town girl*. Des fois j'aurais le goût de m'amener au restaurant, de me taper une fin de semaine de camping, d'aller tripper à New-York où à Pointe-au-Pic, mais je ne bouge pas, car il me manque La femme.

Ayant jusqu'ici surmonté cette difficulté, cela m'a mené aux U.S.A., en Europe et en Amérique du Sud. Seul, c'est donc pas si pathétique! Voilà un point.

À part de ça, dessinateur de jour, musicien de soir, motard de fin de semaine, vivant chez mes parents, je mène une vie tout ce qu'il y a de confortable. Cependant, un certain besoin de changement, d'évolution, me fait sentir, encore une fois, qu'il me manque La femme!

Je te raconterais bien mon travail, mes voyages, mes projets, ou le concours que l'on a remporté avec notre groupe dont je suis le sax ténor, mais je risquerais d'être long. C'est pas que je suis pressé, mais si l'on veut correspondre, je dois me garder du matériel!

Alors je termine. Pas de spécifications, mises en garde ou autres éteignoirs. Je crois à la magie de la communication écrite. Et puis comme disent les C.V.: renseignements complémentaires sur demande.

À bientôt!

Sax Ténor, 26 ans, dessinateur
en intérieurs commerciaux

Slick

5' 9', 145 lb,
Sens de l'humour, belle apparence, non fumeur, passionné.
Jamais marié, pas d'enfant.
Je recherche: femme 23-31 ans, taille moyenne ou grande,
mince, jolie, sportive, sens de l'humour essentiel.
De préférence universitaire et/ou professionnelle.

Il est difficile d'écrire à propos de soi. J'ai préféré composer un texte sous la forme de dialogues qui t'indiquera, je l'espère, un peu où j'en suis dans ma vie et ce que j'ai vécu.

Dialogues

Une pièce en deux actes

PERSONNAGES: SLICK
HARRY, ami de Slick
ÉLISE, ex-blonde de Slick
MARIANE, amie de Slick

ACTE PREMIER

HARRY: Dis-moi donc, Slick, à quoi penses-tu?

SLICK: Eh bien, je pense à mes amis. Depuis mon retour des États-Unis, je ne les vois presque plus. Tout le monde semble très occupé. Quand je leur parle, je me sens aussi proche d'eux qu'avant. Mais quand il s'agit de se voir, et bien là, ça demande beaucoup de planification.

HARRY: Mais tous tes amis sont des collègues de Cegep ou d'université. Avant que tu partes, on était tous étudiants ou presque. On était plus disponibles. Maintenant, ils sont tous, soit mariés, soit accotés. Ils ont acheté des maisons. Fini les sorties «entre gars» pour aller prendre une bière. Tu as maintenant affaire à des couples! Il ne reste plus que toi à «caser».

SLICK: Oh! je ne suis pas prêt à me «caser». Je viens juste de finir ma médecine avec ma spécialité. J'ai 29 ans, et je n'ai pas l'impression d'avoir fait beaucoup d'autres choses dans la vie que d'étudier. Avant de me caser, je veux vivre un peu plus, profiter de ma jeunesse. Voyager surtout. C'est ce qui m'a le plus manqué.

HARRY: Tu es resté aux États-Unis plus de trois ans. C'est un long voyage ça!

SLICK: Non, ce n'était pas un voyage. J'étais là pour étudier et c'est ce que j'ai fait. Je suis à peine sorti de la ville où j'étais... Mais il y a d'autres choses qui m'ont manqué et que je veux faire. Aller voir des shows de musique rock ou de blues. Recommencer à jouer de la guitare classique. Développer des nouveaux intérêts comme cuisiner, apprécier la peinture. Refaire du ski alpin, de la bicyclette et de la voile.

HARRY: Une chance que ton travail te laisse pas mal de temps libre, car tu vas en avoir besoin!

SLICK: Oui. J'ai été réellement chanceux de trouver cet emploi. Tu sais, j'adore ce que je fais. J'adore mon travail et en plus, il me laisse du temps libre. Des fois même un peu trop.

HARRY: On joue au tennis vendredi soir?

SLICK: Si tu as encore le goût de te faire battre...

ACTE SECOND

ÉLISE: Il m'avait même demandé en mariage. C'est pour te dire à quel point nous étions proches. Mais je me devais de dire non. C'était juste avant son départ et il ne savait même pas quand il allait revenir. Et une fois qu'il fut parti, les choses ont commencé à aller très mal entre nous. J'ai rencontré Kim. Tu vois, si Slick était resté à Montréal, peut-être que les choses auraient été différentes. Mais je ne pouvais supporter l'idée d'une relation à distance. Même si je crois qu'il aurait été capable d'attendre. Pas moi. Et après j'ai rencontré Frank.

MARIANE: Es-tu encore avec lui?

ÉLISE: Bien non. Dis-moi pas que tu ne sais pas la nouvelle. Je me suis mariée il y a trois mois avec Peter.

MARIANE: Mon Dieu! Je suis vraiment en retard sur les nouvelles... Est-ce que Slick est au courant?

ÉLISE: Je pense que des amis lui ont dit. Il m'a écrit une lettre. Je crois qu'il était content que je sois heureuse. Il espérait qu'on puisse rester amis et se voir de temps en temps. Mais je n'ai pas répondu à sa lettre.

MARIANE: Pourquoi?

ÉLISE: Je ne sais pas. J'ai peut-être peur de le voir. Mais toi, tu le vois de temps en temps. Comment va-t-il?

MARIANE: Il me donne l'impression de quelqu'un en paix avec lui-même et qui aime sa vie. Toujours aussi tranquille, quoique maintenant il jase beaucoup plus qu'avant. Toujours la tête pleine de projets.

ÉLISE: Il a une blonde?

MARIANE: À chaque fois que je lui parle, et c'est à peu près aux deux mois, c'est quand il m'appelle pour me dire qu'il a rencontré quelqu'un. Et deux mois après, je l'appelle et il vient de casser avec elle. Et pourtant je sais qu'il est capable d'avoir une relation à long terme. Je pense juste qu'il n'a pas celle qu'il cherche.

ÉLISE: Tu n'as jamais voulu sortir avec lui?

MARIANE: Je l'ai connu il y a longtemps quand il était le chum de ma meilleure amie. Après qu'ils se soient laissés, je suis restée en contact avec lui. Mais c'est une relation strictement platonique et on en est conscients tous les deux. Le charme serait brisé si on essayait autre chose.

Moi j'ai mon chum, mais je sais que je peux toujours compter sur

Slick pour aller au restaurant ou voir un film. Il m'a déjà dit que mon amitié lui était une chose extrêmement précieuse. On n'a jamais assez de bons amis.

Toutefois, il m'a déjà dit que les plus belles périodes de sa vie ont été les moments où il était en amour avec une fille. Mais il a de la difficulté à rencontrer des gens.

ÉLISE: Pourquoi?

MARIANE: Il déteste aller cruiser dans les bars. Il a toujours dans l'idée qu'il n'y rencontrera personne d'intéressant. Il ne veut pas sortir avec les gens à son travail. Et ses amis ne sont pas du genre à faire des gros partys où il pourrait rencontrer des gens. Alors il rencontre des filles un peu au hasard.

Mais l'autre fois, il m'a dit qu'il avait un projet secret et qu'il allait peut-être m'en parler dans quelque temps si ça marchait...

Slick, 29 ans, médecin-pathologiste

Soon

Ni vieux ni jeune… mais inquiet à l'idée de vieillir mal!
Enthousiaste, souvent, passionné pour presque tout.
Essaie toujours de tout tenir ensemble.
Forme physique surprenante… (c'est vrai),
mais souvent fragile et vulnérable quand il s'agit des sentiments.
Intimidé d'être ici, et aussi, ravi.
Note: Je fume la pipe.
Note II: J'ai essayé d'arrêter sans résultat. J'en souffre! Mais j'aime…
Note III: D'abord… s'écrire (puisque c'est le jeu)… se parler, se re-
garder, prendre son temps, se quitter si… (sans rancune), continuer si…
E la nave va! Et vogue la galère!

«Je fis un feu
L'azur m'ayant abandonné
Un feu pour réchauffer mes doigts
Un feu pour être son ami
Un feu pour vivre mieux…»

Ça, c'est Éluard, c'est pas de moi.

J'essaie de faire un feu. Même quand on en a fait des centaines, il arrive qu'on ne sache plus. J'essaie…

Se raconter, se découvrir, c'est un peu diabolique, non?

Tant de contradictions!

Comme il me semble impossible d'en recréer la dynamique sur papier, je vais essayer de faire de moi deux portraits. Tous deux sont vrais. Incomplets, statiques, mais vrais. Je veux dire… vus par moi! Tout le monde connaît l'influence de l'expérimentateur sur l'expérience!

Ceux/celles qui ne m'aiment guère vous mettront en garde: j'ai divorcé deux fois. Ma première épouse est restée ma meilleure amie, depuis ma Suisse natale. La seconde, après neuf ans, c'est toujours la guerre, froide maintenant. Glaciale. Ils vous diront que je reste un être d'exagérations, passionné hors mesure et totalement privé des qualités qui font nos contemporains. Je peux tromper et me tromper. Je peux m'effouèrer. Je peux être violent, mais plutôt contre moi-même. Je suis impatient: quelle difficulté pour les autres et pour moi! Je n'ai pas l'esprit de famille, aucun sens des conventions. Je me méfie des objets, jamais des gens. Je peux être injuste. Méchant, non. Je hais la T.V. pour la passivité qu'elle provoque, la publicité. Il m'est arrivé de mentir.

Mon fils (qui ne fait pas partie de ceux qui ne m'aiment pas...), me voit parfois comme un inquiétant marginal. Je ne suis pas riche. Pas de maison à la campagne, pas de condo. Les mauvaises langues diront qu'avec deux pensions alimentaires pour mes filles maintenant adultes... c'est vrai que je n'ai jamais manqué une mensualité! (Mon fils vivait avec moi.) Plus j'avance, plus je vais vers une sorte de dépouillement.

Ceux qui m'apprécient me trouvent désespérément fiable (j'ai pas dit faible!). Toujours à l'heure. On me dit travailleur. On me trouve généreux. Ce n'est pas vrai, je n'ai pas le sens de la propriété. On m'accorde d'être franc, sérieux, parfois grave. Quand j'y crois, je peux être d'une efficacité stupéfiante. Je pense vite, mais suis lent dans mes décisions. Je suis fasciné par les rapports entre les êtres et les choses.

Né Taureau, j'en ai les gestes et j'en porte les marques. Un cœur sur deux jambes. On me dit un prof génial... mais pas tous les jours!

Bon... c'est pas tout.

Je n'ai jamais pu décider si j'étais un manuel (construction de meubles, de maison, de voiliers, etc.) ou une sorte d'intellectuel pas très convaincu (diplômes, maîtrise, entouré de disques et de bouquins). De plus, j'insiste constamment pour rester en prise avec mon physique. Pas du tout granola (bien que...), j'ai enseigné le plein-air, avec des marathons de ski et de jogging, la voile, l'escalade; ancien pratiquant convaincu de la haute montagne. Mais c'était ailleurs!

Je ne suis ni coureur ni dragueur. J'ai toujours cru être l'homme d'une seule femme. En fait, ma vie affective s'est attachée à très peu d'entre elles. Deux ont été mes épouses, l'une pendant quatre, l'autre pendant quinze ans.

Celle qui vient de me priver de feu avait vingt-neuf ans de moins que moi.

Huit ans sans disputes et sans mesquineries, les yeux ouverts.
La vie l'a accueillie ailleurs... la distance... les mois de doutes...
Les notes de téléphone!
C'était peut-être écrit d'avance.

Je n'ai jamais appris la solitude et je la trouve inhumaine. J'envie ceux qui s'en accommodent. J'ai pas le goût. Je suis un être de partage, de communication. Des balades, de la rêverie, du sport, même intense, de la musique, des découvertes. S'il vous plaît: pas de danse. C'est ma seule infirmité. Je n'enseigne qu'accessoirement. Depuis six ans, je fais des voiles. C'était mon tout premier métier. Pas très romantique, comme on le croirait souvent. Beaucoup de travail, de la précision, de la passion. Ma compagnie est saisonnière; elle m'offre des vraies vacances en hiver seulement.

J'aimerais rencontrer — pour combien de temps... tout dépendra — une femme vivante et vive, certaine de plaire. L'âge? ...Oh! vous savez... j'ai appris qu'il ne fait rien à l'affaire! Que j'aie vingt-cinq ou que j'aie cinquante ans, il serait bon selon les jours d'être son chum, son frère, son amant, son bébé, son père, son ami... et quoi d'autre encore!

Si vous n'aimez pas sortir quand il fait froid, si le soleil des plages est trop brûlant, si vos énergies vous servent à contrôler votre poids ou ce qu'on risque de voir de votre évidence extérieure, je vous en prie, restons-en là, en toute amitié. Je fais encore de la moto, ça décoiffe, et il m'arrive de me contenter de pain et de vin quand je suis heureux sur mon bateau. Pourtant, je manque souvent de confiance en moi et la tendresse s'en va quand on oublie de la cultiver!

Pour finir:

— Brel, Ferré, Sylvestre, Anna Prucnal, Renaud et les autres.
— Bach - *Le clavier bien tempéré*, et tout le reste
— Chopin (Ah! Chopin…)
— Romain Gary, tous les livres, mais tanné de la «littérature»
— Picasso
— Paris, Rome, Dubrovnic, la Camargue, les Alpes

Je sais tricoter, faire la bouffe, réparer n'importe quoi, ou presque.
J'ai très peu d'amis, et j'y tiens.

Mes enfants sont «sortis», sauf Muriel, 18 ans, qui partage avec son père son adolescence tardive (et qui drague plus que lui).
J'aime mon corps et ses défauts, mais sans passion. Serais incapable de respecter quelqu'un qui se haïsse.

Me suis-je découvert? J'ai essayé. Maintenant, il faudrait mettre tout cela en mouvement. Je ne sais vraiment pas si je vous aime, mais c'est le fun de penser que vous y donnerez peut-être suite.

Soon,
(tout simplement le nom de mon bateau.
Une longue histoire…)
54 ans, un peu prof et beaucoup voilier
(de profession, pas le bateau!).

Spirou

Le spectacle va commencer...

Pour la première partie de ce spectacle: humour et détente.

Habituellement, je suis toujours très à l'aise devant une feuille blanche ayant déjà écrit des histoires dans ma jeunesse. Cette fois-ci, ce n'est pas de la fiction mais bien de la réalité que je me dois de discuter. Et c'est de moi dont je vais parler. Il faut que je dise la vérité et non pas tout inventer comme dans un roman. Alors, allons-y et ce, point par point. Je maîtrise très bien mon sujet, me connaissant depuis 23 ans. Étant si bien placé, commençons par l'évidence même:

Je suis grand. 6' 1", plus fait sur le long que sur le large.
Je suis blond.
J'ignore la couleur de mes yeux. Parfois bleus, parfois verts, ces deux coquins me laissent souvent perplexe.

Parfois, j'ai une moustache. C'est la partie de mon anatomie qui me déteste le plus. Je peux la conserver plusieurs semaines, la reléguer aux oubliettes un ou deux mois, et la faire repousser par la suite. Elle en devient toute confuse.

Suis-je beau? C'est la question que plusieurs savants européens débattent depuis le début des années 30. Ma réponse? Quand je le veux, je m'organise pour paraître très bien.

Je ne fume pas.
Je ne me saoule pas la gueule les fins de semaine.
Je profite des choses saines de la vie.

Après ce bref aperçu physique, je vais donner mon opinion sur des sujets, pêle-mêle, pour démontrer ma philosophie de la vie et de l'univers qui nous entoure:

— La politique. C'est un sujet rempli de nostalgie pour moi. En effet, cela me fait songer à mon année à la maternelle où on se lançait des avions et des effaces.

— L'hypocrisie, le mensonge et se prendre pour un(e) autre. Ce sont les défauts pour lesquels j'ai le moins d'indulgence dans les facettes de la bêtise humaine.

— Le roman qui a changé ma vie. *Dracula*, de Bram Stoker. À 15 ans, j'abordais, avec un certain sourire de dérision, ce bouquin que je jugeais ridicule d'avance. Je suis encore sous le choc. Quelle inspiration! À la fin de ma lecture, je suis monté sur le mont Royal pour jurer de dédier ma vie à l'Art. Avec maladresse et bonnes intentions, ma plume a créé quelques histoires et nouvelles encore inédites à ce jour.

— Les sports. Je vais au baseball une douzaine de fois par année. Je n'arrête pas de marcher dans les rues de notre superbe ville. Je joue au badminton, quand il y a de la place. Je suis même allé voir la lutte une fois, et c'est plus drôle que du Molière.

— La nourriture. Subvenir à mes besoins nutritifs reste toujours une occupation de très grand intérêt. Que ce soit en visitant un établissement encore inconnu, ou me préparant moi-même un nouveau mets, j'apprécie bien manger.

— La sincérité, le respect, la compréhension et l'humour. Ce sont les qualités qui m'attirent le plus chez autrui.

— Les discothèques. Une ou deux fois par année, je m'introduis dans un tel endroit et je danse du début à la fin de ma visite, pour me refaire des énergies. Je ne possède pas un style «John Travolta», mais plutôt «Jerry Lewis». Ce n'est pas grave, je m'amuse comme un fou.

Comme on le constate, l'humour et la comédie tiennent une place importante dans ma vie. Quand vient le temps de conter une farce, je suis lamentable. Mais pour l'humour improvisé sur place et les jeux de mots spirituels, je ne me défends pas si mal. Je suis toutefois assez mature pour distinguer les choses sérieuses des plaisanteries et prendre mes responsabilités en conséquence.

Étant très observateur et physionomiste, je n'ai qu'à regarder une personne inconnue une fois, pour apprendre sur son compte des choses pas toujours évidentes. Je possède une grande compréhension de la nature humaine qui me permet bien humblement de me déclarer un excellent conseiller et analyste dans mon entourage.

Quels sont mes principaux points d'intérêt? Tous les arts, avec, dans l'ordre:

— Le cinéma. J'y vais une quarantaine de fois par année et la seule chose que je regarde à la T.V., ce sont des films. De n'importe quelle année ou pays, je n'ai aucune discrimination. J'aime autant les chefs-d'œuvre que les navets.

— La bande dessinée. Ne perdons pas notre âme d'enfant. La B.D. est ma vraie vocation, c'est là-dedans que j'ai le plus de talent. Présentement, je travaille sur quelque chose de professionnel, dans le but de me faire publier. J'ai un faible pour les superhéros américains. Voir Spiderman donner une volée au Dr Octopus me réjouit au plus haut point. Les gens ne comprennent pas comment un grand six pieds dans la vingtaine s'amuse en lisant un *comic* à 95¢, mais c'est pourtant le cas. Je hante régulièrement les boutiques de bouquins usagés pour engraisser ma collection.

— La musique. J'écoute de tout, du classique au bel canto, du jazz au punk. J'ai une préférence pour ce qu'on appelle l'alternatif, mais ça ne veut pas dire que j'ai un mohawk vert sur la tête, loin de là. Si la pièce est bonne, quel que soit son genre, je prends le temps de bien l'entendre.

— La lecture. De Alexandre Dumas à Stephen King, de Chester Hines à H.P. Lovecraft, emmenez-en. Tous les styles et époques m'intéressent.

Une autre constatation apparaît: je ne suis pas un individu qui se borne aux mêmes choses sans vouloir changer. J'aime explorer les facettes de chaque sujet. J'adore la diversité. Mon imagination est très importante, ainsi que la création de quelque chose de nouveau.

Toute la journée, je travaille dans la comptabilité et l'informatique. Alors, après cette logique précise, il me faut changer d'air. Je visionne un film, écris une petite histoire, fais un dessin…

Deuxième partie du spectacle: soyons sérieux

Le physique de la fille que j'aimerais rencontrer. Tout ce que je demande, c'est un joli visage sympathique, un brin de coquetterie (sans être une carte de mode) et une bonne santé. La grandeur, le poids et la couleur du système pileux n'est pas le plus important à mes yeux. C'est peut-être un cliché, mais c'est quand même vrai que la beauté intérieure se veut plus éclatante quand elle est bien cultivée.

La personnalité de la fille que j'aimerais rencontrer. Une personne active et sociable, dans la vingtaine, appréciant les sorties romantiques et la découverte de choses nouvelles, qui cherche quelqu'un à qui confier ses chagrins et joies en toute confiance. (J'ignore pourquoi, mais tout le monde veut me conter sa vie. Je trouve cela flatteur.) Une personne qui, comme moi, déguste autant les bains de foule que les moments d'intimité à deux. Enfin, une fille qui cherche un garçon doux, sentimental et compréhensif, sur lequel elle peut se fier. Ces qualités me caractérisent assez bien. J'apprécierais trouver une compagne qui n'a pas peur de s'exprimer, de parler de tout et de rien.

Le dialogue est la chose qui, par son manque, détruit les couples. C'est tellement malheureux. Comment deux personnes peuvent-elles arriver à être heureuses ensemble si elles ne se parlent pas? À part:

«As-tu une cigarette?»

«Change donc de poste!»

«On lave-tu le char demain?»

Pas tellement stimulant, non? Toujours cet embêtant côté matériel. Je vais tenter d'éviter de tomber dans le piège de la routine conjugale, si je peux dire ainsi.

À ma grande détresse, j'ai parfois de la difficulté à aborder les gens en personne, car je suis un peu timide. Voilà pourquoi cette idée de rencontre par le texte me semble séduisante. Comme j'aime bien tenter du nouveau, eh bien, pourquoi pas? On a tellement d'expériences dans une vie que ce serait plate de ne pas les partager avec une autre personne.

Je crains d'en avoir trop dit, comme de ne pas en avoir dit assez.
Alors, nous savons tous comment remédier à cela…
J'en ai assez d'écrire des «je»!
Ce sont des «tu» que j'aimerais écrire!

Rideau, et à la prochaine…

Spirou, 23 ans, commis dans un bureau de comptabilité

Tamino

La «Boîte à mots», quelle drôle d'idée! ...et pourtant, quand on y pense, se révéler par le texte n'est pas plus incomplet ou plus subjectif que de montrer uniquement son apparence physique; c'est même peut-être moins trompeur! Bien sûr, ce qui est important et unique dans une personne, c'est justement sa personnalité complète avec ses milliers de «facettes» interdépendantes. Donc, se révéler par le texte est finalement une approche intéressante et originale.

Pour «jouer le jeu», il faudrait donc essayer de me décrire dans ces quelques lignes... Je voudrais tout de suite exprimer une certaine difficulté avec cet «exercice» qui justement permettra à celle qui lira ces lignes de me percevoir de façon assez profonde. J'ai toujours été quelqu'un de très rationnel de tempérament (du moins je le croyais...), en tout cas de formation. (Disons, pour situer les choses, que je suis ingénieur en informatique, directeur d'un groupe de développement dans le domaine de la «haute technologie». Je n'aime pas beaucoup cette description qui semble prétentieuse, mais cela est nécessaire pour justifier mes propos...)

Donc, en écrivant cette lettre, j'ai une tendance à rationaliser et structurer mes idées, pour faire une présentation «concise, précise et complète». Cependant, je n'ai pas envie de faire cela: je veux écrire pour le «fun»; je préfère laisser parler la spontanéité, l'intuition du moment. En un mot, je veux laisser parler mon «cerveau droit» (mais mon «cerveau gauche» ne se laisse pas évincer aussi facilement, d'où la difficulté dont je parlais plus haut!).

Tout cela illustre bien un aspect bien actuel de ma personnalité: mon esprit rigoureux et scientifique m'a beaucoup servi jusqu'à présent, mais je veux qu'il cède un peu la place... Qu'est-ce que cela veut dire concrètement? Cela veut dire que je suis toujours intéressé par les sciences dites exactes, mais en même temps, je «m'ouvre en grand» sur beaucoup d'autres choses.

Par exemple, j'ai toujours profondément aimé la musique (essentiellement la musique classique, mais aussi la musique de «variété» et même parfois la musique «disco» pour danser et me détendre...). Cependant, j'étais un «mélomane passif». Récemment, je me suis fait un beau cadeau, je me suis acheté un piano et je prends des cours. Quel plaisir! (...mais il faut beaucoup d'humilité quand on commence à cet âge...)

Autre domaine pour lequel je suis non seulement plus «ouvert», mais aussi carrément intéressé ou intrigué: les techniques de croissance personnelle et l'ésotérisme en général. Je sais, en connaissance de cause, puisque c'était ma réaction antérieure, que ce regroupement peut sembler bizarre pour certains, mais il sera facile à comprendre pour les «initié(e)s» de l'ère du Verseau ou du «nouvel âge». Concrètement, cela signifie une curiosité saine envers les choses comme les médecines «douces» ou l'approche «holistique» de la médecine, les techniques de croissance personnelle comme l'imagerie mentale et des choses plus «flyées» comme le «rebirth», etc.

En résumé, pour illustrer cet aspect, je mentionnerai qu'un des livres qui m'a le plus marqué récemment traitait du sujet suivant: les découvertes les plus récentes et les plus fondamentales de la physique de la matière se rapprochent étrangement des philosophies/religions orientales. (N.B.: pour les sceptiques — dont j'étais — l'auteur du livre en question est professeur de physique fondamentale à l'Université de Berkeley...)

Je m'aperçois que les prémisses de cette lettre sont respectées, c'est-à-dire que j'ai fait un «discours» non structuré qui insiste peut-être un peu trop sur un aspect, en tout cas, qui semble un peu «intellectuel». Je vais donc aborder des sujets plus «terre à terre», mais auparavant je voudrais préciser quelque chose d'important par rapport à ce texte et à La Boîte à mots en général.

Jusqu'à présent, je n'ai parlé que de moi et je vais continuer!... Ce n'est pas faire preuve d'égocentrisme; c'est tout simplement respecter ce que je pense être l'esprit de La Boîte à mots: se décrire le plus honnêtement possible par le texte et essayer de faire ressortir ce qui m'attire et est important pour moi. Je n'ai pas envie de faire une liste de «caractéristiques recherchées», comme si j'allais faire mon épicerie...

Je crois donc qu'en me «décrivant», j'indique implicitement ce que je recherche chez une autre personne et je lirai les autres «mots» avec le même esprit... (Bien sûr, tout n'est pas aussi simple et c'est ce qui fait la beauté de la vie. Je veux exprimer par là que tout l'intérêt de la vie de couple résulte d'un mélange subtil de points en commun et de points complémentaires. Ainsi, il est évident pour tout le monde que deux personnes qui n'ont absolument rien en commun ne risquent pas de s'entendre longtemps. De même, ça serait mortellement ennuyant de vivre avec quelqu'un d'absolument semblable, qui ne vous apporterait rien. Donc, entre les deux, il y a une plage infinie de combinaisons et c'est à cela que je faisais référence quand je parlais de la «beauté de la vie».)

Ceci dit, je reviens comme promis à des choses plus concrètes me concernant. Je suis «père de famille», disons père d'une petite fille de dix ans. Je suis divorcé, mais j'ai la «garde partagée» de ma fille dont je m'occupe vraiment la moitié du temps, selon une entente tout à fait à l'amiable. Je crois bien qu'avec cet arrangement, je suis beaucoup plus proche de ma fille que certains pères de familles dites «unies». Donc, ma fille, c'est quelqu'un d'important pour moi; autrement dit, «celles qui n'aiment pas les enfants, s'abstenir». À propos de restriction, cela me fait penser à une lettre d'une cliente de La Boîte à mots qui demandait aux «séparés/divorcés de s'abstenir de lui répondre»!

Je respecte la plupart des idées des autres, mais je trouve cela pour le moins pittoresque, au XXe siècle. Par association d'idées, cela me fait penser à la religion, à cause de la prise de position récente du Vatican. C'est correct, tout le monde ne peut pas être «au même diapason» en même temps. Certains peuvent vouloir vivre avec plusieurs centaines d'années en arrière sur leur temps!… mais enfin, il faut être optimiste, il y a du progrès, on ne brûle plus les hérétiques!

Sérieusement, voici quelle est ma «position» par rapport à la religion, ou plus exactement mon approche des choses «métaphysiques». J'ai été élevé dans la religion catholique, mais je suis rapidement devenu incroyant. Cependant, ma position est bien différente maintenant. Disons que je crois probablement en un «être suprême», ou quelque chose comme cela et je respecte toutes les religions «profondes», mais la plupart des formes concrètes et humaines des églises et sectes de toutes sortes me sont particulièrement antipathiques. (Comment certaines femmes peuvent-elles tolérer que des assemblées d'hommes décident de les exclure de tout poste officiel dans «leur» église?…) Enfin, il ne faut pas être trop sérieux et il vaut mieux garder le sens de l'humour. Entendre les vieux curés du Vatican condamner la masturbation, c'est plus drôle que les monologues d'Yvon Deschamps.

Voilà des propos bien sérieux (mais on ne peut pas dire que je cache mes opinions...). Revenons à des choses plus terre à terre, par rapport à ce que je suis, ou ce que j'aime. En général, j'aime beaucoup la nature, donc les activités de «plein-air». Je fais du ski en hiver (ski de fond, et je me suis remis au ski alpin pour en faire avec ma fille qui commence à bien se débrouiller). En été, j'aime beaucoup les sorties de style «canot-camping» et, l'été dernier, je me suis acheté une planche à voile avec laquelle j'ai eu beaucoup de fun.

Attention, je ne voudrais pas donner l'impression d'être un fanatique de sport! Au contraire, j'aime beaucoup les activités physiques en tant que jeux et détente, mais le sport «pur», professionnel, m'emm... profondément. Par exemple, j'imagine que le purgatoire pour moi pourrait consister à être attaché devant la télévision pour être obligé de regarder à l'infini des matchs de hockey!... et évidemment, l'enfer serait d'être obligé d'écouter les commentaires immensément «plates» des analystes!... Après ce que j'ai dit sur la religion, voilà que je parle de purgatoire et d'enfer!

J'espère que j'ai montré un peu que j'avais le sens de l'humour; c'est aussi une qualité qui est importante pour moi chez une autre personne. Je commence à être un peu «tanné» de me décrire. Je vais donner deux ou trois autres «caractéristiques» et ensuite mettre cette prose dans l'univers de La Boîte à mots, accompagnée de toutes mes ondes positives pour... me mettre sur la même longueur d'onde qu'une courageuse «écrivaine» (c'est le fun d'écrire, mais cela demande quand même un certain effort...).

J'ai mentionné plus tôt que j'adorais vraiment la musique, surtout la musique classique (les amateurs de Mozart, comme moi, ont dû reconnaître mon nom de plume...). J'aime aussi beaucoup le cinéma. À chaque fois que je vois un bon film, je me dis que je ne risque pas de revoir de sitôt un autre film de ce calibre, et cela se reproduit pourtant souvent, ce qui est bien agréable. En passant, regarder un bon film en compagnie de quelqu'un avec qui on est «sur la même longueur d'onde», au cinéma ou à la télévision, voilà une activité que j'apprécie énormément.

Bon, pour terminer cet «autoportrait» totalement incomplet (heureusement. Imaginez une personne que l'on puisse décrire en quelques pages!... Bien sûr le meilleur de la découverte reste à venir. Ce n'est pas gentil de penser «et le pire aussi!...»), il me reste à parler de l'apparence physique. Il est bien vrai que dans ce cas, un bon croquis (ou une bonne photo) «remplace un long discours», mais je vais essayer de donner quelques repères. Je suis plutôt grand (5' 9") et plutôt mince (150 lb). Je crois avoir une apparence physique plutôt agréable. Je «fais» très jeune pour mon âge; c'est un trait de famille que je commence à apprécier! Ceci dit, je trouve ce type de description ennuyant et je m'en tiendrai là!

Finalement, il reste un aspect qui pourrait faire le sujet d'un livre! Je veux parler de ce que je recherche dans ma démarche avec La Boîte à mots. C'est vraiment un sujet que j'aimerais aborder de «vive voix», mais je vais essayer de donner encore quelques repères simples et honnêtes. Je crois pouvoir donner beaucoup de tendresse et de joie de vivre, et j'en recherche pareillement... J'ai vécu en couple et seul assez longtemps pour faire la part des choses et savoir qu'il n'y a pas de situation idéale comme telle. Au-dessus de toutes choses, je recherche le bonheur. Je sais que le bonheur est d'abord «en soi», comme il est écrit — à juste titre — dans tous les bons livres de «croissance personnelle», seulement le bonheur «pour soi tout seul», c'est drôlement plate... Qu'est-ce que je recherche avec La Boîte à mots?... Je ne sais pas, c'est le présent et le vécu qui en décideront...

Tamino, 38 ans, ingénieur

Wabo

Bonjour vous toutes!

J'ai choisi le nom de plume «Wabo» parce que l'on m'a donné ce nom à maintes reprises, lorsque je travaillais dans les bases de plein-air. Cela doit être parce que j'ai certaines similitudes avec ce personnage.

Cependant, je tiens à préciser que je ne suis pas porté sur l'écriture. Par conséquent, ne soyez pas surprises par le nombre effarant de fautes d'orthographe que vous serez en mesure de détecter.

Description physique:

Je mesure 6' 1", pèse 170 lb. Cheveux châtains. En général, on me dit paraître plus jeune que mon âge.

Je me présenterai en parlant en gros de mes activités et réalisations présentes et passées. Avec cela, vous serez en mesure de voir un peu plus le type de personne que je dois être.

Emplois:

En été, plutôt axés vers la nature
— Jardinier paysagiste
— Moniteur dans les bases de plein-air (20 saisons)
— Berger, durant le temps de l'agnelage (8 saisons)

Loisirs:

— Lecture: surtout science et technique
— Musique: surtout semi-classique, populaire. Je joue un peu de flûte à bec et de flûte traversière
— Artisanat: fabrication d'objets en bois et en cuir
— Bricolage: de type rénovation, chez des ami(e)s, sur ma maison, etc.
— Sport: présentement, je pratique plus régulièrement la natation, la bicyclette, l'escalade, le canot-camping, le ski de fond et je m'intéresse à l'écologie.

J'aime apprendre et être actif.

Voici un résumé de mes points d'intérêt antérieurs qui sont en partie mes points d'intérêt présents. À la différence que j'investis plus en un même endroit, car maintenant, je ressens le besoin d'une certaine stabilité physique, sociale et émotive.

J'ai voyagé sac au dos pendant environ six ans.

J'ai effectué de nombreuses excursions et expéditions genre randonnée, canot-camping, ski de fond.

J'ai suivi différents stages et formations. En voici quelques-uns:

Jardinier paysagiste, canot-camping, natation, tir à l'arc, escalade, danse folklorique, ski alpin, ski de fond, premiers soins, spéléologie, plongée sous-marine, voile, yoga, judo, karaté, parapsychologie, etc.

Je m'intéresse à des personnes qui ont surtout une soif d'apprendre, de comprendre et d'expérimenter de nouvelles activités et connaissances. Et qui ont comme priorité *première* leur propre autoréalisation. C'est le style de personne qui me passionne, stimule et intéresse le plus, même si cela est loin d'être toujours facile.

Les qualités que je recherche chez les autres personnes sont la franchise, la sincérité; des personnes directes (sans détours), énergiques et actives.

Wabo, 32 ans, jardinier paysagiste,
moniteur de plein-air, berger

feedbacks

Chère Boîte à mots,

Je t'avais promis de t'envoyer de mes nouvelles et j'ai bien tardé à le faire. Pardonne-moi.

Le bonheur nouveau est un bonheur égoïste. Il se savoure dans l'intimité d'un château d'Espagne qui demeure fictif pour tous ceux qui n'en sont pas les châtelains.

Alors, il ne met pas souvent le nez dehors, craignant l'hostilité de ceux qui sont allergiques aux fleurs bleues.

J'aurais dû savoir, toutefois, que toi, tu n'es pas de ceux-là.

Mon bonheur s'est assagi. Il est descendu dans la rue. À la lumière du jour, il m'est apparu plus réel que jamais.

Celui qui est mon bonheur n'a pas fait un très long séjour chez toi.

J'ai été sa première correspondante et lui, mon dernier correspondant, à la suite de nombreux autres.

Ces chers autres…

Je me souviens des heures passées entre tes murs chaleureux alors que je basculais entre la tendresse et l'amusement. Tu me dévoilais tes trésors, trésors secrets de cœurs en mal ou en trop plein d'amour.

Il a coulé bien de l'encre sur le papier de ma solitude d'alors.

Et toutes ces lettres reçues et envoyées, ces rencontres, parfois amusantes, rarement décevantes, ces espoirs souvent déçus et finalement réalisés ont fait de cette période de ma vie une expérience si enrichissante que je ne cesse depuis de te recommander à ceux qui pourraient avoir besoin de toi.

Et ils sont nombreux, ceux-là, qui trimbalent un cœur au neutre dans la tristesse et l'ennui.

Prends bien soin d'eux, comme tu as pris soin de moi.

Demeure telle que tu es, coquette mais simple, douce et accueillante.

Affectueusement,

Fleur

P.S. : Mon bonheur s'appelait pour toi «La Bottine souriante». C'est dire que j'ai trouvé plus que «chaussure à mon pied», mais «bottine à mes racines».

le 30 octobre 1985

À La Boîte à mots,

S.V.P. Enlevez mon texte de vos cahiers. J'ai rencontré une femme merveilleuse et ça promet bien. Bien que la rencontre n'était pas via La Boîte à mots, le fait de me décrire sur papier et de décrire celle que je cherchais m'a beaucoup aidé. Continuez le bon travail!

Après

Feedback d'un membre

La Boîte à mots, un service de rencontres par l'écriture, mais avant tout une expérience enrichissante. En premier lieu, on téléphone ou on passe «juste par curiosité». Puis, quand on a lu quelques textes, quand on constate le sérieux de l'affaire, on est tenté de s'y inscrire aussi. Le premier pas est fait. La deuxième demande plus de réflexion. Il faut écrire un texte entre une et sept pages. Qu'est-ce qu'on va raconter? Quand on a franchi cette deuxième étape, celle qui suit est la meilleure: le début d'une aventure de rencontres toutes aussi intéressantes les unes que les autres.

Bien sûr, on voudrait que ça marche à la première rencontre et tant mieux si ça arrive! Mais si ce n'est pas le cas, il faudra s'armer de patience. S'engager dans une course peut causer des effets secondaires. Plus d'une rencontre à la fois brouille les cartes. En fait, le secret d'une rencontre réussie consiste à ne pas se créer d'attentes. Après un premier contact par écrit et un deuxième par téléphone, l'imagination se met à l'action. Voilà l'erreur! On a déjà des espérances et des attentes pour le troisième contact — le vrai — qui s'en vient. On a presque dessiné dans notre tête celui ou celle qu'on s'en va rencontrer. Si on commence à rêver à l'impossible, on risque de s'éveiller fort déçu.

Le moment le plus excitant est celui qui précède la rencontre, juste quelques minutes avant, parce qu'on sait que celles qui vont suivre seront déterminantes. Trois possibilités: ça clique des deux côtés, ça ne clique pas du tout, ou ça clique d'un seul côté.

Dans le premier cas, toute nervosité et incertitude disparaissent comme par enchantement. On se sent bien. La conversation s'oriente plus sur ce qu'on veut à deux, nos intérêts, nos goûts. On découvre ce qu'on a en commun. C'est incroyable comme le temps paraît court, on n'a pas envie de se quitter. Quant à la durée de la relation, on n'est jamais sûr de rien. L'important, c'est d'en profiter le temps que ça dure. On se quitte avec le désir de se revoir. On fixe le prochain rendez-vous.

Dans le deuxième cas, on voudrait faire marche arrière, mais on sent tout de même le besoin d'aller confirmer notre première impression. Et on se rend compte qu'on ne s'est pas trompé. La conversation peut quand même prendre une tournure intéressante. Elle sera plus détachée, moins intéressée, moins axée sur ce qu'on veut à deux, puisque l'intérêt n'y est pas. On n'a pas envie de prolonger le contact. On se quitte et on continue chacun de son côté.

Le troisième cas s'avère plus difficile à surmonter. Il n'est pas agréable de dire que l'autre ne nous plaît pas et encore moins d'entendre qu'on ne plaît pas à l'autre. Si les deux n'en sont pas à leur première rencontre, la tension sera moins forte. Sinon, il ne faut pas oublier qu'on ne peut pas plaire à tout le monde. Notre valeur personnelle n'est pas en cause et on n'a pas à se remettre en question. Les maniaques de l'exclusivité, les hypersensibles-susceptibles-orgueilleux sont ceux qui en souffriront le plus. On se quitte. Un des deux est déçu, l'autre, soulagé. Ça fait partie du jeu!

Un point à noter qui ne figure pas dans le scénario est la magie qui fait que deux personnes sont attirées l'une vers l'autre par pur hasard. Ici, on ne se rencontre pas par hasard. Disons que le hasard organise une rencontre pour nous. On ne se sera pas choisi à cause d'une chimie inexplicable qui nous aura rapproché irrésistiblement. Mais le coup de foudre demeure tout de même possible à la vue de l'autre personne. On peut ressentir la fatidique étincelle, ce petit quelque chose d'innommable qui fait qu'on n'a pas peur de s'abandonner, de tout risquer pour l'autre.

Et l'aspect physique dans tout ça? Naturellement, il a son importance. Chacun a des préférences différentes. Mais l'aspect physique ne se situe pas uniquement entre les cheveux et le menton. Tout entre en ligne de compte: la grandeur, la grosseur, les gestes, l'odeur, la démarche, l'aura, les ondes, la personnalité en général. Et tout cet ensemble, l'œil le perçoit et l'envoie directement au cerveau qui l'accepte ou le rejette selon nos goûts. Ça se fait très rapidement, c'est pourquoi on le sait, on le sent, dès les premières secondes.

Il ne faudrait pas manquer de souligner la discrétion des responsables. Muettes comme des tombes! Voilà pourquoi on peut avoir parfois l'impression d'entrer dans un monastère! Et si on a encore quelques préjugés face aux «trucs» de rencontres, il se pourrait en plus qu'on soit envahi d'un malaise, d'une gêne qui pèse lourd. Après tout, quel mal y aurait-il à désirer dénicher LA tendre moitié?

La Boîte à mots peut faire partie de notre vie comme toute autre activité sociale. Il s'agit d'avoir la bonne attitude, c'est-à-dire ne pas se mettre dans un état d'urgence, d'attente et de désespoir. La Boîte à mots, une expérience de rencontres où pas une ne se ressemble, une expérience personnelle enrichissante où on a tous un point en commun. Nous voilà de grands rêveurs, aventureux et fantaisistes, qui ont le goût de vivre la fantastique marche à deux. Des aventureux qui n'ont pas besoin de spécifier «S.V.P. pas d'aventuriers»!

Accroche-cœur

Chère Boîte à mots,

Cette lettre sera courte...

Géniale..., l'idée de ta création. Grâce à toi, chère Boîte, j'ai trouvé l'«âme soeur» que je cherchais depuis un bon moment. Nous nous entendons à merveille et cela, depuis un mois et demi que nous sommes ensemble. Ce n'est pas de l'amour aveugle..., c'est une relation basée, avant tout, sur l'amitié et l'amour.

Depuis que je suis dans ta «boîte», j'ai eu de bonnes et de mauvaises correspondances. Des hauts et des bas, quoi! Ces correspondances n'étaient pas ce que je recherchais. Après quelques rencontres, j'étais «découragée» et il ne restait que trois semaines avant ma fin de contrat. J'ai persisté et ça m'a rapporté. Une bonne journée, j'ai reçu une courte lettre qui fut suivie de cinq autres, et par la suite d'une rencontre, et PAF! le coup de foudre.

Je dois te dire, chère Boîte, que tu m'as plu énormément par la simplicité et la chaleur que tu dégageais quand j'allais te voir.

Merci, chère Boîte à mots, d'avoir été là!

Libellule

XXX

Cette petite note s'adresse à celui ou celle qui vient tout juste d'entrer à La Boîte à mots avec possiblement une certaine appréhension. Peut-être te demandes-tu: «Comment suis-je descendu aussi bas: moi dans une agence de rencontres?»

Premièrement, ici, ce n'est pas une agence de rencontres, tu es et demeures l'artisan de ta propre destinée et ce à travers plusieurs facteurs:

— cette démarche (être ici),
— le contenu du texte que tu devras créer sans autre guide que ta sincérité et ton inspiration,
— les réponses que tu feras aux lettres que tu recevras,
— les lettres que tu enverras aux personnes que ta curiosité te pousse à vouloir rencontrer,
— les rencontres que tu planifieras,
— la décision de poursuivre ou non une relation après la première ou la deuxième rencontre,
— le sérieux de ta démarche.

C'est bien loin de l'agence de rencontres où on fait et décide presque tout pour toi. Il n'y a que dans le dictionnaire où le succès arrive avant le travail. Tout ce que La Boîte à mots te fournit, c'est un véhicule supplémentaire à l'éventail déjà bien connu genre bar, disco, cours, activités sportives, un ami d'un ami d'un ami…

La beauté de ce système est la quantité d'information qui est mise à ta disposition sur d'autres personnes qui ont le même objectif que toi: rencontrer plus de gens intéressants que le hasard veut bien t'en donner l'occasion.

J'appelle ça prendre sa destinée en main. Si tu es déjà ici, c'est que c'est le bon moment de le faire, donc, relaxe et embarque; ça peut pas faire bien mal. De toute façon, c'est sûrement plus efficace et plus agréable que de regarder la télé et d'attendre que le téléphone sonne.

Bien oui! mon texte a probablement une odeur de vendeur. En fait, ce serait plutôt une saveur paternaliste qui pourrait se résumer par la phrase bien connue «c'est pour ton bien que je te dis ça, mon enfant…». J'y peux pas grand-chose: je suis très satisfait des résultats de l'investissement de temps que j'ai fait ici et je veux le partager. On ne livre pas encore à domicile le parfait conjoint, faut donc se grouiller un peu pour faire arriver les choses.

Baby face

Le vent du hasard soufflait ce matin-là, il y avait dans la maison comme un soupir de joie... Le téléphone avait l'air de préparer un bon tour. Puis, quand il a sonné, j'ai su que c'était lui...

Depuis quelques lunes déjà, Artémis et son amour n'en reviennent pas de s'être trouvés à ce point-là. (Les arbres le savent...)

Et quand on me demande comment on s'est rencontrés, j'ai envie de répondre: par magie...

Artémis

Montréal, le 22 novembre 1987

Bonjour!

Seize mois déjà que Fanny et Gierd sont ensemble, pour le meilleur, pas pour le pire.

Merci à La Boîte, et nous n'avons que de bons mots pour ce service de rencontres qui nous a permis de nous aimer un peu, beaucoup... à la folie.

Bonne chance aux nouveaux inscrits: c'est une démarche difficile à entreprendre, mais qui en vaut tellement la peine.

Il ne faut pas craindre de nouvelles ouvertures vers la rencontre de personnes enrichissantes, et sait-on jamais...

Fanny et Gierd

Le 26 février 1987

Nous voulons partager avec vous cet envol auquel vous n'êtes pas étrangères, et vous dire merci de l'espace et du respect dont vous nous avez entourés.

Dites bien à ceux et celles qui nous suivront tout l'espoir et le bonheur dont peut être complice cette Boîte à mots.

Soon et Bic (à pointe fine)

Le 26 août 1987

Six mois plus tard... ça vole toujours...
et on tenait à venir vous le dire!

Soon et Bic (à pointe fine)

Quinze mois plus tard...

Il arrive que quinze mois, dans certains cas, ce soit... un bail!

Pour nous, c'est encore nouveau, encore le fun («Pourvou qué ça doure...» disait madame Bonaparte).

C'était l'hiver, puis ç'a été la primavera, l'été, etc.,
maintenant c'est un deuxième été
et toujours le même plaisir de venir
vous dire un petit bonjour.

Lâchez pas,

                              Soon

Ça fait toujours un p'tit quelque chose de revenir ici, sur les lieux — ou plutôt sur les mots, ceux-là mêmes qui m'ont menée vers une année de partage, de moments intenses, toujours dans un calme... c'est bon...

J'ai compris une chose; c'est pas nécessaire de courir, il suffit que ce soit le temps.

Salut les filles, j'en profite pour vous dire que je vous aime.

                              Bic (à pointe fine)

21 février 1989

C'était il y a (juste) deux ans, aujourd'hui.
Et bien sûr on pense à vous!
Bises,

Soon et Bic (à pointe fine)

information
sur
la boîte à mots

Une formule unique

Fondé en février 1985, le service de rencontres de La Boîte à mots fonctionne par le texte, c'est-à-dire que chaque personne inscrite à La Boîte à mots y dépose un texte. Ce texte, d'une longueur pouvant varier entre une et sept pages, est précédé d'une fiche sur laquelle on trouve l'âge, l'occupation, le statut civil, les champs d'études et d'intérêts ainsi que le nom de plume, car tous les textes sont signés d'un nom de plume afin de garantir la confidentialité. La Boîte à mots dépose ce texte en cartables dans une petite salle de lecture, une mini bibliothèque agréable et chaleureuse située sur la rue Saint-Denis.

Respect de l'autonomie

La Boîte à mots n'intervient jamais dans le choix ou la démarche des personnes inscrites. C'est pourquoi nous sommes un service et non une agence, car nous n'agençons pas les gens. Ce sont les personnes inscrites qui se choisissent elles-mêmes par le biais des textes.

Confidentialité

La Boîte à mots ne divulgue jamais l'identité ni les coordonnées des personnes inscrites. Le premier contact se fait toujours par une lettre et La Boîte à mots sert également de boîte postale. De plus, nous rencontrons chacun(e) de nos client(e)s et n'acceptons aucune inscription par la poste.

Lecture gratuite

On peut venir lire tous les textes déposés dans la banque courante sans aucuns frais aussi souvent qu'on le désire. Cette politique d'accessibilité vous permet de vous familiariser avec la formule et de prendre connaissance des textes avant de vous inscrire. Pour écrire aux gens dont on a aimé les textes, il faut cependant être inscrit(e).

Inscription

Pour s'inscrire à La Boîte à mots, vous devez être agé(e) de 18 ans ou plus, ne pas vivre en couple, déposer un petit texte de votre cru et assumer les frais d'inscription. Au 31 mars 1989, les frais d'inscription, pour une durée de quatre mois, sont de $120, ou $95, pour les 18-25 ans et les ancien(ne)s client(e)s qui se réinscrivent. La Boîte à mots est située au 3466, rue Saint-Denis, bureau 204, Montréal, H2X 3L3. Tél.: (514) 289-9157. Nos heures d'ouverture: du mardi au samedi de 13h30 à 19h30.

Sur la page de gauche, un petit coin de la salle de lecture.
(photo: Stéphane Bigras)

Lettre de bienvenue remise à nos client(e)s
lors de leur inscription

Bonjour et bienvenue à La Boîte à mots,

En février 1985, Gisèle et moi mettions sur pied dans ce même local 204 où vous êtes présentement, un service de rencontres par le texte, une formule unique et différente. La valeur et la transparence de cette formule, telle que nous l'avons conçue et telle que nous la gérons, ont été reconnues très souvent, tant par les associations de consommateur(e)s et les médias d'information que par nos ancien(ne)s client(e)s.

En septembre 1987, nous avons loué le local 202 pour y installer une photocopieuse et un bureau où, si je ne suis pas à l'accueil, vous pouvez me trouver et venir jaser en tout temps de votre démarche à La Boîte. Ma porte est ouverte et vous vous y présentez sans rendez-vous.

En septembre 1988, Gisèle est retournée aux études tout en continuant de travailler à temps partiel à La Boîte, et Lisette s'est jointe à nous pour s'occuper plus particulièrement de vous à l'accueil. Elle a été choisie parmi une trentaine de candidates pour son expérience, sa disponibilité et son jugement. À nous trois, nous nous partageons le travail selon nos spécialités, mais toutes trois nous sommes à votre service.

À quoi peut-on s'attendre d'un service de rencontres?

Qu'il soit honnête et transparent, c'est-à-dire qu'avant même de s'inscrire, on puisse y vérifier soi-même la quantité et le genre d'inscriptions; qu'il respecte nos choix et notre démarche (non ingérence); que son personnel soit disponible et chaleureux et enfin, que son coût soit abordable. La Boîte à mots correspond en tous points à ce profil, et c'est le seul service de rencontres à la hauteur de toutes ces exigences. La Boîte, c'est un lieu de rencontres beaucoup plus intéressant que les bars, et plus ouvert et moins contraignant que le milieu de travail. C'est aussi un lieu de réflexion puisque le texte obligatoire nous force à faire le point sur nos vies.

Mais **La Boîte à mots s'insère dans une société et donc reflète les rapports hommes/femmes qui se vivent dans cette société.**

Car au-delà de ces critères définissant un bon service de rencontres, chacun(e) doit composer avec son bagage. Un bagage social: l'âge, l'occupation, les critères de beauté en vigueur dans notre société, etc.; et aussi un bagage personnel: les peines trop fraîches ou trop vives, les peurs et les insécurités ou au contraire, la confiance, l'enthousiasme, l'autonomie et l'audace.

À la fin du compte, **le résultat vous appartient,** que vous puissiez beaucoup agir sur ce résultat (la confiance, l'audace, etc.), moins (l'occupation), ou pas du tout (l'âge). Si vous êtes une jeune femme dans la vingtaine, par exemple, vous êtes susceptible de recevoir plus de courrier que si vous avez 45 ans. Si vous êtes un homme, ce sera l'inverse.

Dans tous les cas, pour profiter au maximum de votre inscription, **participez.** Faites plusieurs choix. N'attendez pas les réponses de chacun(e) avant de faire de nouveaux choix et donnez-vous la peine de jaser au téléphone et de rencontrer d'autres correspondant(e)s même si la ou les première(s) rencontre(s) n'est pas ou ne sont pas à la hauteur de vos attentes.

Il n'y a pas de photos dans les cartables de La Boîte à mots. Cette politique a été établie dès le début et convient à l'ensemble de notre clientèle. Cependant, rien ne vous empêche d'envoyer votre photo à vos correspondant(e)s et d'en demander une par retour du courrier.

Comment se vit une démarche à La Boîte à mots?

Pour répondre à cette question, nous vous remettons ci-joint le feedback d'une ancienne cliente, *Accroche-cœur*, étudiante de 27 ans, qui résume bien ce à quoi vous pouvez vous attendre globalement, bien que chacun(e) vive cette expérience d'une façon qui lui est personnelle et unique. Nous vous remettons aussi le feedback de *Baby face*, également un ancien client, informaticien de 38 ans, qui fait le tour des avantages d'une démarche à La Boîte.

Développer une relation s'échelonnant sur du long ou du moyen terme n'arrive pas à une majorité de gens au cours d'une première inscription, mais cette expérience est toujours enrichissante à plusieurs égards. **N'hésitez pas à vous réinscrire,** mais nous vous suggérons cependant de faire une pause entre deux inscriptions.

S'il vous plaît...

Nous aimerions vous rappeler l'importance **de faire parvenir un accusé de réception** à tous ceux ou à toutes celles qui vous écrivent. C'est là faire preuve d'un minimum de respect à l'endroit de ceux ou de celles qui ont choisi votre texte. Nous insistons particulièrement sur cet aspect de votre implication à La Boîte à mots. Mettez-vous à la place de l'Autre qui attend de vos nouvelles: juste un petit mot signé de votre nom de plume pour l'informer si vous êtes intéressé(e) ou non.

Retirer son texte ou résilier son contrat?

Résilier un contrat quel qu'il soit n'est jamais avantageux. Si vous avez bien lu la clause 16 de votre contrat, vous avez remarqué qu'une fois votre texte inséré dans les cartables de la salle de lecture, si vous avez payé en entier, une très petite somme vous sera remboursée en cas de résiliation. Si vous avez payé en deux versements, vous nous devez une bonne partie du second versement, quel que soit le moment où vous résiliez. Que vous ayez choisi de payer en un ou deux versements, les sommes dues restent les mêmes.

Donc, que faites-vous si vous rencontrez quelqu'un(e) ou si vous êtes débordé(e) de courrier? Vous nous demandez tout simplement de retirer votre texte jusqu'à nouvel ordre. **Pendant les quatre mois que dure votre contrat,** vous pouvez faire retirer votre texte des cartables et le faire remettre aussi souvent que vous le désirez.

Un dernier mot

La Boîte à mots vous offre une formule amusante et intelligente, une façon unique, confidentielle, fiable et réfléchie de rencontrer des gens intéressants. Peut-être rencontrerez-vous quelqu'un avec qui vous ferez un long bout de chemin... Les lettres que nous avons reçues et déposées dans le petit cartable beige en témoignent. Peut-être croiserez-vous des gens avec qui vous vous lierez d'amitié... Une chose est sûre: cette démarche est profitable et enrichissante, ne serait-ce que par l'audace qu'elle requiert et la connaissance de soi et des autres qu'on en acquiert.

Nous voulons, en terminant, vous remercier pour ce texte que vous venez de nous remettre, ce petit morceau de vous-même que vous nous offrez, et nous vous souhaitons d'heureuses rencontres et un bon séjour chez nous.

Suzanne Boyer

Clauses du contrat

La Loi sur la protection du consommateur exige, avec raison, une entente écrite entre un service de rencontres et ses client(e)s. Afin d'informer le plus grand nombre de gens possible, nous reproduisons ici les clauses du contrat qui régit nos rapports avec notre clientèle.

1. Le présent contrat est d'une durée de QUATRE mois à partir de la date de signature du contrat.

2. Le montant total du contrat est exigible en deux versements dont la première moitié à la signature du contrat, et la deuxième moitié à la mi-temps de la durée du contrat.

3. Aux fins du présent contrat, un texte comprend le formulaire standard intitulé «Autoportrait», fourni par La Boîte à mots, et un texte dit littéraire, fourni par l'annonceur(e).

4. La partie littéraire du texte sera d'une longueur pouvant varier entre UNE et SEPT pages sur papier 8 1/2" par 11" avec une marge minimale de 1" à gauche, à droite, en haut et en bas.

5. La partie littéraire du texte doit être écrite au recto seulement, manuscrite lisiblement ou dactylographiée à double interligne ou à un interligne et demi et paginée en haut à droite.

6. Tous les textes doivent être signés d'un nom de plume choisi par l'annonceur(e) et accepté par La Boîte à mots. L'annonceur(e) devra garder ce nom de plume pour toute la durée du contrat ainsi que lors d'inscriptions(s) subséquente(s) à moins d'un changement de politique de La Boîte à mots à cet égard.

7. L'annonceur(e) doit fournir un texte littéraire original. Des extraits de textes, publiés ou non, produits par d'autres personnes que l'annonceur(e) peuvent cependant être utilisés à la condition d'en indiquer la source et dans le respect de la Loi sur les droits d'auteur. La Boîte à mots ne peut être tenue responsable pour plagiat, libelle, etc., commis par un(e) annonceur(e). L'annonceur(e) s'engage à assumer seul(e) la responsabilité de ses écrits.

8. L'annonceur(e) ne peut déposer plus d'UN texte par contrat. Il ou elle pourra cependant changer ou modifier son texte UNE fois en cours de contrat.

9. La Boîte à mots se réserve le droit de refuser un texte et ou un nom de plume.

10. La Boîte à mots se réserve le droit de refuser l'inscription d'un(e) annonceur(e).

11. Par le présent contrat, l'annonceur(e) cède en exclusivité ses droits d'auteur(e) sur le texte inscrit.

12. La Boîte à mots peut reproduire un texte, en tout ou en partie, sous forme manuscrite, polycopiée, imprimée ou autrement sous le nom de plume de l'annonceur(e).

13. La Boîte à mots peut divulguer l'adresse postale telle qu'inscrite au présent contrat à tout lecteur ou toute lectrice inscrit(e) à La Boîte à mots et qui en fera la demande.*

14. La Boîte à mots ne peut être tenue responsable de la correspondance qui peut s'établir ou non entre un(e) annonceur(e) et un lecteur ou une lectrice.

15. Aux fins du présent contrat, la banque de textes de La Boîte à mots comprend l'ensemble des textes inscrits, dont la période d'inscription n'est pas échue, déposés à La Boîte à mots à l'adresse ci-dessus mentionnée et dont la lecture est accessible à cet endroit du *mardi* au *samedi*, de *13h30* à *19h30*, à l'exception des jours fériés, période des Fêtes et vacances.

16. Le dépôt d'un texte dans la banque de textes constitue l'obligation principale de La Boîte à mots et représente les DEUX TIERS du montant total du contrat, le TROISIÈME TIERS étant constitué par l'accessibilité du texte. Cette accessibilité est divisée en parties égales selon le nombre de mois que dure le contrat.

17. À la date d'échéance du présent contrat, le texte inscrit est retiré de la banque de textes, mais demeure la propriété exclusive de La Boîte à mots.

18. Du fait de son inscription à La Boîte à mots, un(e) annonceur(e) pourra obtenir sans frais l'adresse postale de DOUZE autres annonceur(e)s. À partir de la TREIZIÈME adresse postale demandée, des frais de DEUX DOLLARS par adresse postale sont exigibles. Si un(e) annonceur(e) néglige de se prévaloir de ces droits, il ou elle ne pourra le faire après l'expiration de son contrat.

19. L'annonceur(e) pourra choisir l'adresse de La Boîte à mots comme adresse postale sans frais supplémentaires et venir y cueillir son courrier.

20. L'annonceur(e) déclare être âgé(e) de dix-huit ans ou plus au moment de l'inscription.

21. La Boîte à mots ne peut être tenue responsable du vol, de la perte ou de la destruction des textes et autres documents relatifs à l'inscription.

22. La Boîte à mots peut résilier le présent contrat en tout temps.

* Dans un espace prévu à cette fin sur le contrat, on peut faire inscrire l'adresse de La Boîte à mots comme adresse postale.

Note: Tel qu'il est exigé par la Loi, on trouve au verso de ce contrat, un extrait de cette Loi concernant le louage de service à exécution successive ainsi qu'un formulaire de résiliation.

Vous avez le goût d'écrire?

Vous avez le goût d'écrire, vous aussi? Bien sûr!... mais pas aux gens dont vous venez de lire les textes évidemment! Ces inscriptions sont échues depuis longtemps, à moins que certain(e)s de ces ancien(ne)s client(e)s ne se soient réinscrit(e)s, ce que vous devez venir vérifier vous-même à La Boîte à mots.

Venez donc prendre connaissance des textes actifs. Vous trouverez nos coordonnées à la page 271; comme vous le savez, la lecture est gratuite.

Si ces textes que vous venez de lire ici, dans ce livre, vous ont intéressé(e), et même, nous n'en doutons pas, vous ont séduit(e), vous en lirez d'aussi fascinants lors de votre visite chez nous; et si vous décidez de vous inscrire, vous pourrez écrire à tous ceux ou à toutes celles dont les textes vous auront plu.

En ce qui concerne le texte que vous devez produire pour avoir le droit d'entreprendre une correspondance personnelle avec nos autres client(e)s, vous avez peut-être déjà une idée de ce que vous voulez écrire. Alors, allez-y, faites-vous plaisir et préparez votre petite missive (entre une et sept pages), en tenant compte des instructions ci-dessous, et venez nous la porter, car il faut s'inscrire en personne.

Si vous êtes impressionné(e) par les textes que vous venez de lire, attendez de voir le vôtre! Tout le monde est capable d'écrire. Vous aussi.

— Votre texte peut être dactylographié ou manuscrit. Dans ce dernier cas, utilisez un stylo ou un feutre **noir** et écrivez lisiblement.
— Faites votre texte sur du papier blanc, 8 1/2" par 11", et n'écrivez qu'au recto de vos feuilles.
— Laissez une marge d'un pouce à gauche, à droite, en haut et en bas de vos feuilles.
— Paginez votre texte de 1 à 7 en haut à droite.
— Ne datez pas votre texte.
— Ne signez pas votre texte de votre nom de plume avant d'en avoir informé La Boîte à mots. Pensez à deux choix possibles. Vous garderez ce nom de plume si vous vous réinscrivez éventuellement à La Boîte à mots.
— Vous pouvez intégrer un dessin, un collage, etc. à votre texte, mais tenez compte du résultat une fois votre texte photocopié, ainsi que du droit d'auteur, s'il y a lieu.

Vous trouverez sur la page opposée, un spécimen de l'Autoportrait qui précèdera votre texte. Vous devrez compléter les sections: *nom de plume, titre ou début du texte, occupation, âge, statut civil* et *mode de vie*. Les sections: *autodidacte — champs d'intérêt, champs d'études, autres intérêts (culturels, sportifs, etc.)* et *bref autoportrait et/ou but de l'inscription* sont facultatives.

Dans l'ensemble, nos client(e)s habitent la région montréalaise. Si vous habitez à plus de 40 km à l'extérieur de Montréal, vous devrez l'indiquer dans votre texte ou sur l'Autoportrait. Si déjà, vous avez l'habitude de venir à Montréal une ou deux fois par mois, vous profiterez de votre inscription. Sinon, nous ne vous suggérons pas de vous inscrire, surtout si vous habitez en région éloignée.

La boîte à mots

3466, rue Saint-Denis, suite 204, Montréal, Québec, H2X 3L3

Tél: (514) 289-9157

AUTOPORTRAIT

En lettres carrées s.-v.-p.

Nom de plume	A l'usage du bureau

Titre du texte ou cinq premiers mots

Travailleur(se) à temps plein ☐

Travailleur(se) à temps partiel ☐

Occupation: _____

_____

Age: _____

Sexe   F ☐   M ☐

Autodidacte - champs d'intérêt: _____

Célibataire ☐

Séparé(e) ☐

Divorcé(e) ☐

Veuf(ve) ☐

Étudiant(e) à temps plein ☐

Étudiant(e) à temps partiel ☐

Ex-étudiant(e) ☐

Université: _____ ☐

Cégep: _____ ☐

Autre: _____ ☐

Faculté, module ou option:

_____

_____

_____

_____

Vit seul(e) ☐

Avec ami(e)s ☐

Avec parent(s) ☐

Avec enfant(s)
âgé(e)s de: _____
_____

Autres intérêts (culturels, sportifs, etc.):

_____

_____

Bref autoportrait (style télégraphique) et/ou but de l'inscription

Table des matières

Achevé d'imprimer en mai 1989
par les travailleurs et les travailleuses
de l'Imprimerie Gagné à Louiseville
pour le compte de La Boîte à mots